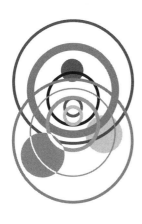

第2次
改訂版

新要点演習

地方自治法

自治体公法研究会編

公職研

　1988年に刊行された「要点演習シリーズ」は、地方自治体の職員や学生などを主な対象として公法の知識の獲得・整理・確認のための解説・演習書、ないし試験対策書として、ご好評をいただき、版を重ね続けてきているが、その間、諸状況の変化、制度改正、読者の方々のニーズ等に対応すべく、何度かリニューアルを行い、内容の充実・発展を図ってきた。現在の新要点演習シリーズの地方自治法は、近年頻繁に行われてきた地方自治法の改正を反映しつつ、2015年に、さらにリニューアルを行って世に送り出されたもので、本書はその第2次改訂版である。

　そのシリーズ第1巻で取り上げる「地方自治法」は、いうまでもなく自治体職員にとって基本的な素養であるとともに、その職務を行うにあたり前提とすべき法律である。また、地方自治の重要性とそれに対する関心が高まる中で、自治体職員だけでなく、学生や一般市民の間でも地方自治法について学びたいといったニーズが高まっている。そして、地方自治法は、自治体の昇任昇格試験、公務員試験、行政書士試験等の資格試験でも、出題科目となっているものである。

　そこで、地方自治法を要領よく学ぶことができるとともに、試験対策にも役立つ解説・演習書として企画されたのが本書である。本書は、地方自治法の重要項目に関する解説と問題演習をセットにしてコンパクトにまとめたものとなっており、次のような工夫をしている。

　第1に、各項目の解説については、記述試験対策に役立つことも意識し、主要な論点を要領よく簡潔に解説していることである。

第2は、各項目の問題演習において、その項目の理解度をチェックすることができるとともに、問題の内容・レベル等については、実際の昇任昇格試験、公務員試験、資格試験などで出題された問題に類似したものとすることで、実戦対応ともなっていることである。

　第3は、各項目のポイントをしっかりと押さえ、かつ、発展的に学ぶことができるよう、関連法条とキーワードを示していることである。

　第4は、各項目を分野ごとに分けて章立てとした上で、それぞれ最初に総論的な概説を行っていることである。これによって、それぞれの項目の位置づけや関係が明らかとなり、地方自治法の重要項目を体系的に学ぶことが可能となる。

　第5は、各章ごとに、地方自治法を理解する上で重要性を増している判例をチェックするコーナーを設け、どのような関連判例があるかを確認できるようにしていることである。

　以上のような多様な特色をもつものであるだけに、本書の使い方・活用方法もいろいろではないかと思われる。本書が、読者によって十二分に活用され、その知識に磨きがかけられるとともに、試験などでその成果が発揮されることにつながるならば、幸甚である。

2022年3月

自治体公法研究会

本書の内容・表記

○本書の内容は、2017年の地方自治法改正やその後の諸改正なども含み、基本的に2022年1月現在のものとなっている。なお、次頁の「近年の地方自治法の改正の概要」も参照。

○解説中の（　）で示した根拠条文のうち、条項名のみとしているのは地方自治法の関係条文を示すものであり、地方自治法以外の法令についてのみ法令名を付した。なお、その場合に、地方自治法施行令については自治令の略称とした。

主な地方自治関係法令

地方自治法

【地方自治法附属法令】地方自治法施行令・地方自治法施行規程・地方自治法施行規則、地方公共団体の手数料の標準に関する政令、地方公共団体の物品等又は特定役務の調達手続の特例を定める政令、指定都市・中核市の指定に関する各政令、普通地方公共団体に対する国の関与等に関する訴訟規則

【地方自治法特例法】市町村の合併の特例に関する法律、地方公共団体の議会の解散に関する特例法、大都市地域における特別区の設置に関する法律

【地方税財政制度に関するもの】地方財政法、地方公共団体の財政の健全化に関する法律、当せん金付証票法、地方税法、地方交付税法、国有資産等所在市町村交付金法

【地方公務員制度に関するもの】地方公務員法、教育公務員特例法、地方公営企業等の労働関係に関する法律、公益法人等への一般職の地方公務員の派遣等に関する法律、地方公務員災害補償法、地方公務員等共済組合法

【選挙制度に関するもの】公職選挙法

【住民記録等に関するもの】住民基本台帳法、電子署名に係る地方公共団体の認証業務に関する法律、行政手続における特定の個人を識別するための番号の利用等に関する法律、住居表示に関する法律

【地方公共団体の特定の行政部門に関するもの】地方教育行政の組織及び運営に関する法律、警察法、消防法、消防組織法、農業委員会等に関する法律、漁業法、建築基準法、地域保健法、児童福祉法

【その他地方公共団体の行政に関するもの】地方公営企業法、地方独立行政法人法、地方行政連絡会議法、地方公共団体の特定の事務の郵便局における取扱いに関する法律、地方公共団体金融機構法、地方公共団体情報システム機構法

【国との関係に関するもの】国と地方の協議の場に関する法律

近年の地方自治法の改正の概要

　地方分権改革が進められる中で、地方自治法も頻繁に改正されるようになっており、分権改革以降ということでは、1999年（分権一括法）、2002年、2003年、2004年、2006年、2008年、2011年、2012年、2014年に改正が行われたほか、直近の改正としては2017年改正がある。また、地方自治法改正法だけでなく、2014年の行政不服審査法の施行に伴う関係法律整備法では地方自治法の不服申立てに関する改正、2015年の公職選挙法等改正法では地方自治法の選挙権年齢の引下げなど、重要な改正が行われている。このほか、2017年の民法（債権法）の改正も、時効の規定をはじめ地方自治法の規定やその適用に影響を及ぼしている。

　地方自治法を学ぶにあたっては、改正等の動向にも留意する必要がある。

〔2012・2014・2017年の地方自治法改正の概要〕

改正年	改正の概要
2012年改　正	①議会の通年会期を可能とする制度、長が招集しない場合の議長の臨時会の招集権の法定化　②委員会の規定の簡素化・条例化と本会議での公聴会開催・参考人招致の容認　③一般再議の対象の拡大と収支不能再議の廃止による再議制度の見直し　④副知事・副市町村長の選任の対象からの除外と条例・予算の専決処分につき議会が不承認とした場合の長の措置・議会への報告の義務付けによる専決処分制度の見直し　⑤送付を受けた日から20日以内の条例公布の義務化　⑥解散・解職の直接請求に必要な署名数要件の緩和　⑦国等による違法確認訴訟制度の創設　⑧一部事務組合・協議会・機関等の共同設置からの脱退手続の簡素化、広域連合の理事会の容認等
2014年改　正	①指定都市の区の役割の拡充（総合区等）、指定都市都道府県調整会議の設置、②特例市制度の廃止と中核市の指定要件の変更、③新たな広域連携の制度として連携協約と事務の代替執行を創設
2017年改　正	①長による内部統制に関する方針の策定・体制整備等　②監査基準の策定・勧告制度の創設等の監査制度の充実強化　③決算不認定の場合に長が講じた措置の議会への報告等　③長等の損害賠償責任の一部免責の許容

新要点演習・地方自治法《目次》

新要点演習
地方自治法

第1章

地方自治・地方公共団体の意義

- （概観）
- 地方自治の意義
- 自治権の本質
- 地方自治の本旨と国・地方公共団体の役割分担の原則
- 地方公共団体の意義
- 地方公共団体の種類
- 市町村
- 指定都市・中核市
- 都道府県
- 特別地方公共団体
- 特別区
- 地方公共団体の組合
- 地方公共団体の区域
- 地方公共団体の区域の変更

判例チェック

（概観）

地方自治法は、地方公共団体の区分と地方公共団体の組織・運営に関する事項の大綱、国と地方公共団体との間の基本的関係について定めることにより、地方公共団体における民主的・能率的な行政の確保を図るとともに、地方公共団体の健全な発達を保障することを目的とするものである。この章では、その基礎概念ともいうべき地方自治と地方公共団体について取り上げる。地方自治・地方公共団体の意義についてきちんと理解しておくことは、地方自治法を学ぶ上で基本となるものであり、またその際には、近年の地方分権改革のもつ意味や動向にも目を向ける必要がある。

1　概説

地方自治は、民主政治の基礎となるものであり、人権保障や自己実現の手段ともなるものである。地方自治は、国民主権（民主主義）や自由主義などを基本原理とする日本国憲法により保障され、地方公共団体の組織及び運営に関する事項は地方自治の本旨に基づいて法律で定めるものとされている。地方自治の本質と自治権の保障の内容については解釈が分かれているが、少なくとも、地方自治が基本的に住民自治と団体自治からなり、地方自治の本旨に反するような法律を定めることができないということは共通の理解となっているといえよう。また、地方自治法には、地方自治・地方分権の基本的理念として国と地方の役割分担の原則がうたわれている。

地方自治の担い手である地方公共団体は、普通地方公共団体と特別地方公共団体に区分され、普通地方公共団体として市町村・都道府県、特別地方公共団体として特別区・地方公共団体の組合・財産区が定められている。これらの地方公共団体のうち憲法上の保障を受けるのは普通地方公共団体とされており、また、地方自治法も普通地方公共団体に関する規定を中心に構成され、一般に「地方公共団体」という場合にはこの普通地方公共団体を指すことが多い。

地方公共団体は、公法人であり、区域・住民・自治権能（法人格）を基本的な要素とするが、地方公共団体の場所的な構成要件である区域については、その区域内に住所を有する者がその地方公共団体の構成員になり、その区域内にある者がその地方公共団体の権能に服することになるという法的効果を発生させるため、区域の確定とその変更に関しては地方自治法において規定されているところである。

2　地方分権の意義とその経緯・動向

　わが国の明治以来の中央集権型システムは、先進諸国に追いつくことを目指したキャッチアップないし高度成長の時代には適合的であったといえるが、そのような時代の終焉とともに、逆にその制度疲労が明らかになり、それへの対応策として、地方自治の機能と役割の充実・強化を図ることにより分権型システムへの転換が課題となっている。地方分権は、住民に身近な行政はできる限り地方公共団体が担い、その自主性を発揮するとともに、地域住民が地方行政に参画し協働していくことを目指す改革などと説明されているが、それによる地方自治の充実・強化を通じて、多様な価値観を踏まえた自主的・主体的で創造的な地域づくりを促進し、個性豊かで活力に満ちた地域社会の実現を図ることを目指すものといえる。そして、そのためには、国と地方が対等・協力の関係に立つことを前提としつつ、国から地方への権限や税財源の移譲とともに、その受け皿となる地方公共団体の基盤を強化することが必要となる。

　地方分権改革は、1993年に衆参両院で地方分権推進決議が行われて以降、順次進められてきており、1999年の地方分権一括法による機関委任事務制度の廃止と国等の関与の縮減を中心とした第1次分権改革、2011年以降の第1次〜第4次一括法に基づく法令による義務付け・枠付けの見直しを中心とした第2次分権改革が実施されたほか、市町村合併特例法により市町村合併が進められてきた。なお、現在は、地方からの制度改革に関する提案を求める「提案募集方式」、地方ごとの多様な事情への対応が可能となる「手挙げ方式」、地方間の連携・補完などによるネットワークの活用など、地方の発意や取組による改革に重点が置かれてきている。

3　ポイント

　この章では、地方自治の意義と本旨、国と地方公共団体の役割分担の原則、地方公共団体の意義と種類、地方公共団体の区域とその変更などが基本的な学習項目となってくる。またその際には、特に、憲法による地方自治の保障の内容、住民自治と団体自治、普通地方公共団体と特別地方公共団体の相違、市町村の要件、都道府県の位置づけ、地方公共団体の組合、地方公共団体の区域の変更の種類と手続などが重要ポイントとなる。

地方自治の意義

1 地方自治の概念

地方自治は、「民主主義の学校である」といわれる。地方の政治は、国の民主政治の根源・基礎となるものであり、国民の人権保障や自己実現にも結びついてくるものである。

地方自治とは、広い意味における自治の1つの形態であって、地方の政治・行政を住民自らの意思により、自らの責任と負担において行うことを意味する。

地方自治は、明治憲法下においては憲法上の要請としてではなく国家行政遂行の一環として認められるにすぎなかったが、日本国憲法は、地方自治のために特に1章を設け、地方自治制度に憲法上の保障を与えている。

2 地方自治に関する憲法上の規定

憲法は地方自治に関して次の4条を規定している。

①地方公共団体の組織及び運営に関する事項は、地方自治の本旨に基づいて、法律でこれを定める（憲法92条）。②地方公共団体には、法律で定めるところにより、その議事機関として議会を設置する（憲法93条1項）。地方公共団体の長、その議会の議員及び法律の定めるその他の吏員は、その地方公共団体の住民が、直接これを選挙する（憲法93条2項）。③地方公共団体は、その財産を管理し、事務を処理し、及び行政を執行する権能を有し、法律の範囲内で条例を制定することができる（憲法94条）。④一の地方公共団体のみに適用される特別法（地方自治特別法）は、法律の定めるところにより、その地方公共団体の住民の投票においてその過半数の同意を得なければ、国会は、これを制定することができない（憲法95条）。

このように、憲法は、地方自治制度について、単なる立法政策にゆだねるのではなく、地方自治の本旨に基づき、住民自治と団体自治が実効的に機能するようなものとすべきことを、直接に求めているといえる。

なお、憲法92条は、地方公共団体の組織及び運営に関する事項については法律で定めることとしているが、これは形式的意味の法律を指し、それらについて法律以外の法形式で直接に定めることは許されないと解されており、また、それは内容的に地方自治の本旨に基づくべきものとされ、それによって国の立法権は限界づけられている。

■関連法条／憲法92条〜95条
●キーワード／住民自治　団体自治　地方自治特別法　民主主義　地方分権

【問題】地方自治の意義に関する次の記述のうち、妥当なものはどれか。

❶　明治憲法の下においても、市制・町村制や府県制があったように、地方自治の制度は、憲法上の保障を与えられていた。

❷　現行憲法は、地方制度を行政府の命令ではなく国民の代表者で構成する国会が制定する法律で規定すべきことを求めており、また、そのすべてを国会の立法政策にゆだねている。

❸　憲法は、住民自治と団体自治からなる地方自治制度を保障している。

❹　地方自治の本旨とは、地方公共団体という国家内の一定地域を基礎とする団体が、国から独立した人格をもって、自主的に地域の事務を処理することのみを意味する。

❺　法律で特定の地方公共団体の組織についてのみ定めることは、その自治を侵害することになることから、憲法に反し、許されない。

解説

❶　誤り。明治憲法下においても府県制、市制、町村制及び東京都制があったが、これらの制度は、国家行政遂行の一環として設けられていたものであった。

❷　誤り。憲法92条は、地方制度に関する法律を定めるに当たって「地方自治の本旨」に基づくことを要求しており、すべてを国会の立法政策にゆだねているわけではない。

❸　正しい。憲法は、地方自治を実現するため、団体自治の確立だけでなく、住民自治の確立を期しているといえる。

❹　誤り。設問の記述は「団体自治」に関するものであるが、地方自治の本旨とは、一定の地域内における行政が、その地域の住民自身によりその責任と負担の下に行われるという「住民自治」もその内容とする。

❺　誤り。憲法は制度としての地方自治を保障しており、一の地方公共団体についてのみ適用される特別法は、憲法95条の地方自治特別法の手続を経ることで制定することが認められている。　　　　　　【正解　❸】

自治権の本質

　憲法92条は、「地方公共団体の組織及び運営に関する事項は、地方自治の本旨に基いて、法律でこれを定める」として、地方自治制度に関する法律が地方自治の本旨に基づくべきことを定めている。そこで、「地方自治の本旨」とは何かが問題となるが、この問題は、国家との関係において地方自治権の本質をいかに考えるかということにかかわるものであり、この点については、従来「固有権説」と「伝来説（承認説）」の対立があった。

　「固有権説」とは、地方自治の根拠をなす自治権は、基本的人権と同じく、国家から与えられたものではなく、地域団体に固有の権利であり、したがって地域団体は本来的に国家から独立し、固有の権能を有する存在であるとするいわば自然法的な考え方である。一方、「伝来説（承認説）」とは、地域団体の存立及び自治権は、その団体に固有のものでなく、国家統治構造の一環として制度化され、国家の統治権から伝来するものであり、地方自治制度は、国家の承認又は許容の下にあり立法政策によって決まってくるとする考え方である。

　この2つの考え方は、それぞれ歴史的意義を有するものであるが、地域団体が国家の創設した制度であることを否定して、国家以前のものであると説明することは、近代国家の法制度としては難しく、国家と全く無関係には地域団体は存在し得ないという点において固有権説は採り得ない。しかし、他方で、憲法92条が、地方公共団体の組織・運営に関する事項を法律で定めるに当たって、「地方自治の本旨に基いて」という要件を規定しているところなどからして、単なる立法政策によって地方自治の本旨を侵すような内容の法律を定めることは許されないと解される。

　結局、地方自治権の本質については、住民自治及び団体自治からなる地方自治という歴史的・伝統的・理念的な公法上の制度を憲法が保障したものとみる「制度的保障説」が多数説となっている。

　したがって、憲法は、地方自治を実現するために、単に団体自治を確立するにとどまらず、住民自治の実現を期しているものであり、憲法による自治権の保障については、このような地方自治の本旨は法律によっても侵すことができないとしたことにこそ、大きな意義があるといえるだろう。

■関連法条／憲法92条

◉キーワード／固有権説　伝来説（承認説）　制度的保障説　地方自治の本旨

【問題】地方自治権の本質に関する次の記述のうち、妥当なものはどれか。

❶　地域団体の自治権は、国家から与えられたものではなく、国民の基本的人権と同じく、地域団体に固有の権利である。

❷　地方自治権の本質は、地方自治という歴史的な制度を憲法が保障したものと考えるべきであり、国の立法政策といえどもこの地方自治権の本質を侵すような内容を定めることは許されないというのが多数説である。

❸　地域団体の自治権は、その団体に固有のものでなく、国家統治構造の一環として制度化され、国家の統治権から伝来するものであり、地方自治制度は、国の自由な立法政策によって決まってくるものである。

❹　現在、普通地方公共団体として都道府県・市町村があるが、都道府県を廃止し、別の地方公共団体を設けることは、憲法上一切許されない。

❺　歴史的には、ヨーロッパでは住民自治が、英米では団体自治が地方自治の内容とされてきた。

解説

❶　誤り。固有権説の説くところであるが、地方自治権の本質については、住民自治と団体自治からなる地方自治という歴史的な公法上の制度を憲法が保障したものと考える（制度的保障説）のが多数説である。

❷　正しい。制度的保障説の説くところであり、妥当である。

❸　誤り。憲法92条は「地方公共団体の組織及び運営に関する事項は、地方自治の本旨に基いて、法律でこれを定める」と規定し、法律の内容は「地方自治の本旨」に適合しなければならない。

❹　誤り。市町村・都道府県の2層制が憲法の要請するところかどうかについては議論があり、設問のように断定することはできないと解される。

❺　誤り。団体自治はヨーロッパ大陸、特にドイツで、住民自治は英米、特にイギリスで発達した思想であるが、どちらも、程度の差はあるものの、多くの近代国家において認められてきたといわれる。　【正解　❷】

地方自治の本旨と国・地方公共団体の役割分担の原則

1 地方自治の本旨

憲法92条は、「地方公共団体の組織及び運営に関する事項は、地方自治の本旨に基いて、法律でこれを定める」としており、地方自治制度に関する法律は地方自治の本旨に基づいて定められなければならない。

「地方自治の本旨」とは、住民自治と団体自治の2つの要素からなる近代的地方自治の原則をいう。「住民自治」とは、一定の地域内における行政が、その地域の住民自身によって、その責任と負担の下に行われることであり、「団体自治」とは、国家内の一定地域を基礎とする団体が、国から独立した人格をもって、自主的に地域の公共事務を処理することである。

2 国・地方公共団体の役割分担の原則

地方自治法に、国と地方の関係の基本となり、かつ、地方分権推進の理念となるべきものとして、国と地方公共団体の役割分担の原則が規定されている（1条の2）。

まず、地方公共団体は、「住民の福祉の増進を図ることを基本として、地域における行政を自主的かつ総合的に実施する役割を広く担う」ものとされる（1条の2第1項）。他方、国は、①国際社会における国家としての存立にかかわる事務、②全国的に統一して定めることが望ましい国民の諸活動」又は③地方自治に関する基本的な準則に関する事務、全国的な規模で又は全国的な視点に立って行なわなければならない施策及び事業の実施など、国が本来果たすべき役割を重点的に担うとされている（1条の2第2項）。①では、外交、防衛、通貨、司法等が、②では、公正取引の確保、生活保護基準、労働基準等が、③では、公的年金、宇宙開発、骨格的・基幹的交通基盤等が、例として挙げられる。

以上のような国と地方公共団体の役割分担の原則は、立法や司法においても尊重されるべきであり、地方公共団体に関する法令の規定は、立法においては、「地方自治の本旨に基づき、かつ、国と地方公共団体との適切な役割分担を踏まえたものでなければなら」ず（2条11項）、また、行政だけでなく司法においても、「地方自治の本旨に基づいて、かつ、国と地方公共団体との適切な役割分担を踏まえて、これを解釈し、及び運用するようにしなければならない」（2条12項）とされている。

■関連法条／憲法92条　地方自治法１条の２、２条11〜13項
●キーワード／地方自治の本旨　役割分担の原則　地方分権　補完性の原理　総合的行政主体　ナショナルミニマム

【問題】国と地方公共団体の役割等に関する次の記述のうち、妥当なものはどれか。

---

❶　国と地方公共団体の役割分担の原則は、「補完性の原理」も踏まえ、地方公共団体の役割を拡大する方向で役割分担の適正化を図ろうとするものといえる。

❷　国は、地域における事務に関しても細部にわたって地方公共団体を指導監督すべきであるし、その結果についても国が責任をもつべきである。

❸　生活保護の基準や労働基準の策定は、地域の実情に合ったものであることが望ましいので、地方公共団体が処理すべき事務といえる。

❹　国と地方公共団体の役割分担の原則は、あくまで行政の分野に限られるものであり、立法や司法の分野には無関係である。

❺　法律又はこれに基づく政令により地方公共団体が処理することとされる事務については、国は全国一律の基準を同時に定めるべきである。

解説

❶　正しい。「補完性の原理」は、行政の中心的担い手は基礎的地方公共団体であることを前提に、小さな単位でできることは小さな単位に任せ、大きな単位でないとできないこと又は非効率なことは大きな単位で行うべきことを意味し、「近接性の原理」とともに重きが置かれている。

❷　誤り。地方自治法は、国に対して「住民に身近な行政はできる限り地方公共団体にゆだねること」を求めている。

❸　誤り。これらの事務は「全国的に統一して定めることが望ましい国民の諸活動に関する事務」であり、国において処理すべきと解されている。

❹　誤り。この役割分担の原則は、行政にとどまらず、立法や司法においても解釈原理となるものとされている（２条11・12項）。

❺　誤り。法律等により地方公共団体が処理することとされる事務の中にも地域の特性に応じて処理されるべきものが少なくない。　【正解　❶】

地方公共団体の意義

1 地方公共団体の概念

地方公共団体は法人格を有する公法人とされており（2条1項）、国の行政機関のように単に国の機関として地域の行政を行うのではなく、地方公共団体自らの意思と責任を有し自己の名において活動を行うものとされており、権利義務の主体となる能力を有するものとされている。地方公共団体は、固有の区域（場所的構成要件）、住民（人的構成要件）をもち、一般的・包括的な自治権あるいはそれを行使するために必要な法人格を有すること（法制度的構成要件）が必要とされている（地方公共団体の3要素・3要件）。

2 憲法上の「地方公共団体」の意義

憲法において「地方公共団体」という文言が、具体的に何を意味するかは必ずしも明らかではない。これに対し、地方自治法は「地方公共団体」を普通地方公共団体（都道府県・市町村）と特別地方公共団体（特別区、地方公共団体の組合及び財産区の3種類）とに区別しているが（1条の3）、これらのうち、憲法上の「地方公共団体」に該当し、憲法上の保障が与えられるのはどれかが問題になる。

この点については、憲法にいう「地方公共団体」とは、地域の住民の共同体意識の上に自主的な地域共同体としての社会的実体を歴史的かつ現実的に備えている基礎的・普遍的な地域団体と認められるものをいうとするのが多数説であり、地方自治法にいう普通地方公共団体すなわち都道府県及び市町村がそれに相当するものと考えられている。したがって、市町村を廃止し、又は都道府県知事・市町村長の公選制を廃止して任命制や議会の議員の選挙による複選制とすることは、憲法に違反するものと考えられる。なお、判例は、東京都の特別区の区長公選制廃止の違憲性が争われた事件において、『憲法上の「地方公共団体」といい得るためには事実上住民が経済的文化的に密接な共同生活を営み、共同体意識をもっているという社会的基盤が存在し、沿革的にみても、また現実の行政の上においても、相当程度の自治立法権、自治行政権、自治財政権等地方自治の基本的権能を附与された地域団体であることを必要とする』と判示し、特別区はこれに当たらないとしている（最高裁昭和38年3月27日判決）。

■関連法条／地方自治法１条の３、２条
◉キーワード／地方公共団体の３要素（区域・住民・法人格）　憲法上の「地方公共団体」

【問題】地方公共団体に関する次の記述のうち、妥当なものはどれか。

❶　憲法は、都道府県と市町村が自治権を保障される地方公共団体である旨を明記している。

❷　最高裁は、かつて、特別区は憲法上の地方公共団体に該当するから、特別区の区長公選制の廃止は違憲であると判示した。

❸　地方自治法は、都道府県、市町村、特別区、地方公共団体の組合及び地域自治区を地方公共団体と規定しており、いずれも法人である。

❹　普通地方公共団体とは、その組織、権能等が一般的かつ普遍的な団体をいい、都道府県、市町村及び特別区がこれに該当する。

❺　憲法上の地方公共団体といい得るためには、事実上住民が経済的文化的に密接な共同生活を営み、共同体意識をもっているという社会的基盤が存在し、沿革的にも現実の行政上も、相当程度の自治権を付与された地域団体であることが必要である。

解説

❶　誤り。憲法は、特に１章を設けて地方公共団体の自治権を保障しているが、その「地方公共団体」については、具体的に規定していない。

❷　誤り。最高裁昭和38年３月27日判決は、特別区は、憲法93条２項の地方公共団体と認めることはできず、したがって、区長公選制の廃止・採用は立法政策の問題にほかならないとした。

❸　誤り。「地方公共団体」について、地方自治法では、普通地方公共団体として都道府県及び市町村、特別地方公共団体として特別区、地方公共団体の組合及び財産区が規定されている（１条の３）。

❹　誤り。現行法上、普通地方公共団体は、都道府県及び市町村とされている（１条の３第２項）。なお、前段の記述は妥当である。

❺　正しい。特別区の区長公選制廃止の違憲性が争われた事件における最高裁昭和38年３月27日判決の趣旨である。　　　　　　　　【正解　❺】

地方公共団体の種類

　地方自治法は、「地方公共団体」を普通地方公共団体（都道府県・市町村）と特別地方公共団体（特別区・地方公共団体の組合・財産区）とに区分している（1条の3）。

　「普通地方公共団体」とは、地方公共団体の中でその組織、権能等が一般的かつ普遍的な団体であり、全国どこの地域においても存在するか、又は存在し得る地方公共団体をいう。普通地方公共団体には、広域的な地方公共団体である都道府県と、基礎的な地方公共団体である市町村がある。

　「特別地方公共団体」とは、政策的見地から特別に設けられたもので、その区域、組織、権能等も特殊であり、本来の地方公共団体にあるべき要件を満たさないものもある。特別地方公共団体には、特別区、地方公共団体の組合及び財産区の3種が認められており、組合には、一部事務組合及び広域連合の2種がある。

　地方自治法は普通地方公共団体を中心に規定を置き、特別地方公共団体についてはそれぞれ必要な特別の規定を設けている。地方自治の本旨に基づき憲法上の地方自治の保障を受けるのは普通地方公共団体であり、特別地方公共団体には必ずしもその保障は及ばないものと解されている。

　現在、普通地方公共団体については、市町村・都道府県の2層制が採用されている。これが憲法上の要請といえるかどうかは争いがあり、基礎的な地方公共団体だけの1層制や道州制の採用などをめぐり議論がなされている。この点については、①2層制とするかどうかは立法政策の問題とする考え方、②憲法は2層制を保障しているがどのような広域団体にするかについては立法政策の問題とする考え方、③市町村・都道府県の仕組みは憲法で保障されているとする考え方などがある。憲法上、現在の地方公共団体の種類・区分が普遍的とはされておらず、地方公共団体の種類、組織や権能については、一定の制約の範囲内で立法政策にゆだねられており、市町村・都道府県の仕組みを一切変えられないとまではいえないだろう。

　なお、地理的な名称として、郡がある。郡は、大正期まで地方公共団体・国の行政庁として存在していたが、現在では、都道府県の区域のうち市の区域以外についての単なる行政区画・地理的な名称にすぎない（259条）。

■関連法条／地方自治法１条の３、２条３・５項

◉キーワード／普通地方公共団体　特別地方公共団体　広域的な地方公共
団体　基礎的な地方公共団体　２層制　都道府県　市町村　特別区　地
方公共団体の組合　財産区

> 【問題】地方公共団体の種類に関する次の記述のうち、妥当なものはど
> れか。

❶　経済社会生活圏の中核としての機能を有する都市は、その周辺の地域
の普通地方公共団体と共同して事業を実施するため、中核市に指定され
ることにより、特別地方公共団体となることができる。

❷　特別区は、都及び政令指定都市に設けられる特別地方公共団体である。

❸　地方公共団体の組合には、一部事務組合、広域連合及び財産区の３つ
が該当する。

❹　普通地方公共団体には、広域的な地方公共団体である都道府県と、基
礎的な地方公共団体である市町村があり、２層制が採用されている。

❺　特別地方公共団体も地方公共団体であるので、地方自治の本旨に基づ
き憲法上の地方自治の保障を当然受ける。

解説

❶　誤り。中核市の指定を受けたとしても、当該中核市は普通地方公共団
体であり、特別地方公共団体となるものではない。

❷　誤り。特別区とは、都に設けられる特別地方公共団体、すなわち、東
京23区のことをいい（281条１項）、このほか大都市地域特別区設置法に
よるものがある。政令指定都市の区は、行政区にとどまる。

❸　誤り。地方公共団体の組合は、一部事務組合及び広域連合の２種であ
る（284条１項）。なお、全部事務組合と役場事務組合は2011年の改正に
より廃止された。

❹　正しい（１条の３第２項、２条３・５項）。

❺　誤り。地方自治の本旨に基づき憲法上の地方自治の保障を受けるのは
普通地方公共団体であり、特別地方公共団体には必ずしもその保障は及
ばないものとされている。　　　　　　　　　　　　　　　【正解　❹】

市町村

　市町村、すなわち市と町と村は、都道府県と同じく「普通地方公共団体」（1条の3）であるが、住民にとって最も身近な地方公共団体として「基礎的な地方公共団体」（2条3項）とされている。

　市・町・村の間には、権能の上では差異はなく、都道府県が処理するものとされているものを除き、一般的に、地域における事務などを処理するものとされている（2条3項）。しかし、規模や能力などによって、制度上若干の違いはあり、都道府県が処理することとされている事務のうち、その規模又は性質において一般の市町村が処理することが適当でないと認められるものについては、当該市町村の規模及び能力に応じて、これを処理することができるものとされている（2条4項）。

1　市町村たる要件

　市となる要件としては、①人口5万以上、②市街地戸数が全体の6割以上、③商工業等従事者数が全体の6割以上、④都道府県の条例で定める都市的施設等の都市としての要件を備えること、の4点が規定されている（8条1項）。ただし、これらの要件は、あくまで市となるための要件であって、市であることの存続要件ではない。

　町としての要件は、各都道府県の条例で定められている。これに該当すれば、村は町になることもできる（8条2項）。

2　市町村の事務・権能

　地方公共団体の事務とされているもののうち、都道府県がするもの以外は、すべて市町村の事務となる（2条3項）。なお、市町村の事務・権能は、法律上、原則として同一であるが、指定都市については、事務配分、関与等及び組織上の特例がある。指定都市とは、人口50万以上の市のうち政令で定めるものをいい（252条の19）、社会福祉、都市計画、教育等の事務や行政監督、税財政等について特例が設けられている。また、人口20万以上の市は、中核市の指定を受けることができ、中核市については事務配分の特例、関与等の特例が認められている。（252条の22、252条の23）。

　なお、特例市の制度は2015年4月に廃止されたが、特例市であった市は中核市に移行しなくても関係法律により処理するとされている事務を引き続き処理できることとされている。

■関連法条／地方自治法２条３・４項、８条
◉キーワード／市　町　村　基礎的な地方公共団体　市・町の要件　市町村の事務・権能

> 【問題】市町村に関する次の記述のうち、妥当なものはどれか。

❶　市町村は、基礎的な地方公共団体であり、市と町と村とでは、その事務・権能について基本的に差異はない。

❷　村が町となることのできる要件は、人口、市街地戸数、職業分類及び都市的施設等について、市となることのできる要件に準じて、法律で定められている。

❸　指定都市とは、人口100万以上の市のうち政令で定めるものをいい、社会福祉、都市計画、教育に関する事務等について一般の市とは異なる取扱いがなされている。

❹　市町村の名称変更は、当該市町村の条例でこれを定めることだけで、行うことが可能である。

❺　町が市となるためには、人口５万以上、市街地戸数が全体の６割以上、商工業等従事者数が全体の６割以上及び都道府県条例で定める都市的施設等の都市としての要件を備えること、の４要件を満たさなければならず、市となっても後にこれらの要件を欠くに至ったときは、都道府県知事がその事実を認定し総務大臣に届け出ることにより、町に戻る。

解説

❶　正しい。ただし、指定都市・中核市の制度に注意。

❷　誤り。村が町となるべき要件は都道府県の条例で定める（８条２項）。

❸　誤り。指定都市とは、「人口50万以上」の市のうち政令で定めるものをいう（252条の19）。

❹　誤り。市町村の名称変更については、都道府県知事との事前協議及び都道府県知事への報告が必要である（３条３～５項）。

❺　誤り。町村が市となるべき要件は、あくまで市となるための要件であり、市として存続するための要件ではない。後に要件を欠くに至っても町村には戻らない。　　　　　　　　　　　　　　　【正解　❶】

指定都市・中核市

市町村の規模と能力に応じた事務配分を行うとの考え方（2条4項）に基づき、以下のような大都市に関する特例が定められている。

1　指定都市（252条の19〜252条の21）

指定都市とは、政令で指定する人口50万以上の市をいい（252条の19）、2020年3月現在20都市が指定されている。

指定都市には、①事務配分の特例として、都道府県の事務のうち、民生、保健衛生、都市整備、環境保全等の分野の事務を指定都市の権限に移譲、②関与等の特例として、都道府県知事等の許可等の処分を要し、又は命令を受けることとされている事項の一部について、都道府県知事等の許可等の処分を要せず、又は直接各大臣の処分等を受ける、③行政組織の特例として、市長の権限に属する事務を分掌させるため、条例でその区域を分けて区を設け、区の事務所又は必要に応じて出張所を置くなどの特例が認められ、区には区長、選挙管理委員会などが置かれる。また、必要があるときは、条例で、区ごとに区地域協議会を置くことも認められている。

また、指定都市と都道府県の間のいわゆる「二重行政」の解消を図るための方策として、指定都市と都道府県が事務処理について連絡調整を行う指定都市都道府県調整会議の設置、協議が調わない場合に総務大臣に対し必要な勧告を行うよう申し出ることができることとする仕組みが設けられ、「都市内分権」による住民自治強化のための方策として、特に人口が非常に多い指定都市を念頭に、区の役割を拡充するため、条例により、区に代えて総合区を設けることが可能となった。総合区長は、市長の権限に属する事務のうち主として総合区の区域内に関するものを処理し、議会の同意を得て選任される特別職とされる。

2　中核市（252条の22〜252条の26の2）

中核市は、人口20万以上を有する市について、当該市からの申出に基づき政令で定められ、①事務配分の特例及び②関与等の特例が認められる（252条の22）。中核市となるには、あらかじめ市議会の議決を経て、都道府県議会の議決を経た都道府県の同意を得た上で、総務大臣に申し出ることとされている（252条の24）。

なお、中核市に指定された市が指定都市に指定された場合、中核市の指定は効力を失うものとされている（252条の26）。

■関連法条／252条の19〜252条の26の2

◉キーワード／指定都市　中核市　事務分配の特例　関与等の特例　指定都市の区・総合区

> 【問題】地方自治法上の指定都市及び中核市に関する次の記述のうち、妥当なものはどれか。

❶　指定都市及び中核市ともに、法律上の指定要件として人口及び財政能力が定められている。

❷　指定都市については、事務配分の特例と関与等の特例が認められているのに対し、中核市について認められているのは、事務配分の特例のみである。

❸　指定都市の指定には関係する地方公共団体の議会の同意が必要であるが、中核市の場合にはそのような要件はない。

❹　指定都市に指定された場合には、その事務を分掌させるため、その区域を分けて区を設置することが義務付けられている。

❺　指定都市及び中核市とも、その指定を受けるに際しては、関係する地方公共団体の住民の投票において過半数の同意が必要である。

解説

❶　誤り。財政能力に関する要件は法定されていない。

❷　誤り。中核市についても、関与等の特例が設けられている（252条の22第2項）。

❸　誤り。指定都市の指定には関係する地方公共団体の議会の同意は不要である。他方、中核市の指定については、あらかじめ市議会の議決を経て、都道府県議会の議決を経た都道府県の同意を得た上で、総務大臣に申し出ることとされている（252条の24）。

❹　正しい。指定都市については区を設置することとされているが（252条の20）、中核市についてはそのような定めはない。

❺　誤り。いずれも指定を受けるに際して、住民の投票は必要とされていない。

【正解　❹】

都道府県

　都道府県は、都・道・府・県の４つであるが、このうち都が若干異なった取扱いを受ける以外、他の３つは、単に名称が異なるだけである。

　都道府県は、市町村を包括する（５条２項）。これは、都道府県の区域は、これに含まれる市町村の区域の全部を合わせたものであるという意味で、都道府県が市町村の上位に立つ地方公共団体であるという意味ではない。都道府県と市町村は、一般的・普遍的な地方公共団体である「普通地方公共団体」（１条の３）として、いわば同等に位置づけられている。ただし、処理する事務が競合しないようにしなければならない（２条６項）。また、市町村はその都道府県の条例に違反してその事務を処理してはならず、条例に違反して処理した事務は無効となる（２条16・17項）。

　都道府県は「広域的な地方公共団体」（２条５項）として位置づけられているので、市町村とはその機能の面で差異がある。

　第１に、都道府県が処理する事務は、①広域にわたるもの（広域事務）、②市町村に関する連絡調整に関するもの（連絡調整事務）、③規模又は性質において一般の市町村が処理することが不適当であると認められるもの（補完事務）である（２条５項）。なお、都道府県は、その事務の一部を、条例の定めるところにより、市町村が処理することとすることができる。この場合、当該事務は市町村長が管理し、及び執行するものとされている（252条の17の２）。

　第２に、市町村は、包括する都道府県の全体の立場からする一定の制約に服さざるを得ない。地方自治法は、都道府県又は都道府県知事に、①市町村の規模の適正化の勧告（８条の２）、②市町村の境界の調停・裁定・決定（９条、９条の２）、③事務の運営等についての技術的助言・勧告・資料の提出要求（245条の３〜８）等の権限を認め、都道府県が市町村に対して、指導、援助及び調整的機能を果たすことを予定している。

　なお、都道府県は基本的に同種の地方公共団体であるが、都については若干の特例が設けられている。都は、特別区の区域においては一般の府県の事務と市の事務のうち特別区の処理しないものを一体的に処理し、特別区以外の区域においては一般の府県の事務を処理する（281条の２）。また、特別区の事務処理に対する助言・勧告（281条の７）等も認められている。

■関連法条／地方自治法２条５・６項、５条２項、８条の２、９条、９条の２、245条の３〜245条の８
◉キーワード／都 道 府 県　広域的な地方公共団体　広域事務　連絡調整事務　補完事務

【問題】都道府県に関する次の記述のうち、妥当なものはどれか。

❶　都道府県は、広域的な地方公共団体として、広域事務、連絡調整事務及び補完事務の３つを処理するものとされている。

❷　地方自治法によれば、都道府県は、市町村を包括するので、都道府県は市町村の上位に立つ地方公共団体である。

❸　都道府県は、その事務を市町村に管理・執行させてはならない。

❹　都道府県と市町村は、その事務を処理するに当たって、相互に競合しないようにしなければならないが、そのためには都道府県の処理が優先されるべきである。

❺　都・道・府・県はそれぞれ同種の普通地方公共団体であり、その組織や権能も全く同じである。

解説

❶　正しい（２条５項）。従来の統一行政事務は、1999年の地方分権一括法による改正によって削除された。

❷　誤り。「都道府県は、市町村を包括する」（５条２項）とは、都道府県の区域は、これに含まれる市町村の区域の全部を合わせたものであるという意味に過ぎない。都道府県と市町村は、普通地方公共団体として基本的に対等である。

❸　誤り。都道府県は、その事務の一部を、条例の定めるところにより、市町村が処理することとすることができる（252条の17の２）。

❹　誤り。都道府県は、補完行政事務を処理することとされている（２条５項）ので、市町村にその事務を処理する規模・能力がある場合には、市町村の処理が優先されるべきである（市町村優先の原則）。

❺　誤り。都道府県は、基本的には同種の地方公共団体であるが、都については、若干の特例が設けられている。　　　　　　　　　　【正解　❶】

特別地方公共団体

　特別地方公共団体は、普通地方公共団体に対し、団体の構成、組織、権能等について特殊な性格をもつ地方公共団体であり、次の3種がある。特別地方公共団体も法人とされている。

1　特別区（281条～283条）　都の区のことをいう。区域や住民があり、また、住民の直接選挙による議会と区長が置かれる。特別区は、基礎的な地方公共団体とされ、市に近く、基本的に市に関する規定が適用されるが、市町村が処理することとされている事務のうち、大都市行政の一体性・統一性確保の観点から一体的な処理が必要な事務は都が行うこととされている。なお、財源の均衡化や相互の連絡調整のため、財政調整交付金や都区協議会の制度が設けられている。大都市地域特別区設置法にも注意。

2　地方公共団体の組合（284条～293条の2）　地方公共団体（特別区を含む。）がその事務の一部を共同処理するために設けるもので、複数の地方公共団体によって構成されるものをいう。①事務の一部を共同処理するための一部事務組合、②広域的処理が適当な事務につき広域計画を作成し、その実施のため必要な連絡調整を図るとともに、これらの事務を総合的・計画的に処理するための広域連合がある。組合が成立するとその事務や対応する機関は、参加地方公共団体から消滅する。一部事務組合では、規約で定める同種の事務の共同処理となるのに対し、広域連合では、異なる事務を持ち寄り処理することができるほか、国や都道府県から権限移譲を受けることが可能であり、広域連合の長と議会の議員は区域内の有権者により直接に又は組織する地方公共団体の長や議会により間接に選出され、住民による直接請求も認められている。

3　財産区（294条～297条）　①市町村・特別区の一部で財産を有し又は公の施設を設けているもの、②市町村・特別区の廃置分合又は境界変更における財産処分の協議の結果、市町村・特別区の一部が財産を有し又は公の施設を設けることとなるものをいう。法人格をもつが、その機関は必要に応じて設けられ、都道府県知事の制定する条例により議会又は総会が、市町村・特別区の制定する条例により財産区管理会が設けられる。

　なお、地方公共団体の組合のうち全部事務組合と役場事務組合、地方開発事業団の制度については2011年の改正で廃止された。

■関連法条／地方自治法1条の3第3項、281条～297条
●キーワード／特別区　地方公共団体の組合　財産区

> 【問題】特別地方公共団体に関する次の記述のうち、妥当なものはどれか。

❶　市町村及び特別区に限らず、都道府県も広域連合を設けることができる。

❷　財産区の事務の処理に当たっては、財産区の区長又は財産区の議会が必ず設置され、それらが行うことになっている。

❸　地方公共団体は、その事務を共同処理するために組合を設けることができるが、そこで処理することができる事務は、構成地方公共団体の自治事務に限られ、法定受託事務は含まれない。

❹　特別区は、基礎的な地方公共団体として位置づけられ、その処理する事務の範囲については市町村と全く同様である。

❺　広域連合を設ける場合には、その構成する地方公共団体に応じ総務大臣又は都道府県知事の許可が必要とされているが、一部事務組合を設ける場合にはそのような許可は必要とされていない。

解説

❶　正しい。広域連合は、都道府県も設けることができ、都道府県が加わる場合は総務大臣の許可が必要となる（284条3項）。

❷　誤り。財産区には固有の執行機関がなく、原則として議決機関もない（議決機関が設けられる場合として、295条）。この場合、財産区のある市町村又は特別区の議会及び長が、財産区の権能を行うこととなる。

❸　誤り。共同処理できる事務は、法定受託事務であっても差し支えない。

❹　誤り。特別区は、基礎的な地方公共団体として一般的に市町村が処理するものとされている事務を処理するが、大都市地域における行政の一体性・統一性確保の観点から都が一体的に処理することが必要な事務は除かれる。例えば、上下水道等は都が行う。

❺　誤り。広域連合の場合だけでなく、一部事務組合の場合にも、都道府県が加入するものは総務大臣、その他のものは都道府県知事の許可を得る必要がある（284条2・3項）。　　　　　　　　　　【正解　❶】

特別区

　特別区とは、都の区のことをいう（281条〜283条）。特別区は、地方公共団体としての区域や住民を有し、普通地方公共団体に極めて近いものということができ、特別区の存する区域を通じて都が一体的に処理するものを除き、基礎的な地方公共団体として、一般的に市町村が処理するものとされている事務を処理することとされている（281条の2第2項）。

　特別区の事務と組織はほぼ市と同様だが、都が一体的に処理するものとされる事務は都の事務である。組織としては区長と議会が設置され、区長及び議員は、市の場合と同様、住民の直接選挙によって選任される。

　このようなことから、地方自治法の市に関する規定は、特別の定めがあるものを除き特別区にも適用されるほか、他の法令の市に関する規定のうち市に関する事務で特別区が処理することとされているものに関する定めは、特別区にも適用されることとなっている（283条）。

　ただし、都の制度の特性として、事務・権能の面で人口が高度に集中する大都市地域における行政の一体性及び統一性の観点から、特別区の存する区域を通じて都が一体的に処理することが必要であると認められる事務は都が処理することとされるなどの特例があり（281条の2第1項）、事務・事業に応じた特例(保健所の設置（地域保健法5条1項）など)がある。

　また、都と特別区の関係では、財源の均衡を図るための特別区財政調整交付金、都と特別区や特別区相互の連絡調整を図るための都区協議会などの特別の制度が設けられているほか、都知事にはその調整のため処理基準を示す等の助言・勧告も認められている（281条の7〜282条の2）。

　特別区の制度は変遷が多く、地方自治法制定当初は多くの権限が都に留保されていた。1952年の地方自治法改正では区長公選制が廃止されるなど、都の内部的な構成団体としての性格を有するものとされたが、1964年改正で都から特別区への事務権限の移譲、財源配分などが行われ、1974年の地方自治法改正により区長の公選制が復活し、1998年の地方自治法改正で特別区が基礎的な地方公共団体であることが明確に規定され、都の内部団体的な性格は払拭された。

　なお、2012年制定の大都市地域における特別区の設置に関する法律により、人口200万以上の指定都市等に特別区を設置することが可能となった。

■関連法条／地方自治法281条〜283条
◉キーワード／東京都23区　特別区財政調整交付金　都区協議会　特別地方公共団体

> 【問題】特別区に関する次の記述のうち、妥当なものはどれか。

❶　特別区には、市とは異なり、行政委員会を置くことはできず、行政委員会の権限に属する事務は特別区の区長が行う。

❷　特別区は、特別地方公共団体ではあるが、指定都市に設けられる区と同様に、法人格をもたない。

❸　特別区の事務処理については、都との連絡調整を図るため都区協議会を置くものとされており、都が特別区財政調整交付金に関する条例を制定する場合には、都知事は、あらかじめ都区協議会の意見を聴かなければならない。

❹　市町村及び都道府県は広域連合を設けることができるが、特別区は広域連合を設けることはできない。

❺　個別の法令の規定中、市が処理することとされている事務で、地方自治法の規定により特別区が処理することとされているものに関する規定は、特別区に準用される。

解説

❶　誤り。特別区においても、執行機関として区長と行政委員会が置かれる（283条1項）。

❷　誤り。指定都市に設けられる区は法人格をもたないが、特別区は、法人格を有する特別地方公共団体である（1条の3第3項、2条1項）。

❸　正しい（282条の2）。

❹　誤り。特別区も広域連合を設けることができる（284条3項）。

❺　誤り。その場合、それらの規定は特別区に適用され、そのまま特別区に適用しがたいときには、政令で特別の定めをすることが認められている（283条2・3項）。

【正解　❸】

地方公共団体の組合

1　地方公共団体の組合の意義

　地方公共団体の組合（284条〜293条の２）は、地方公共団体（特別区を含む。）がその事務の一部を共同処理するために設けるものであり、複数の地方公共団体によって構成される。

　組合は、特別地方公共団体として法人格をもつ。また、組合は区域と構成員をもち、区域はそれを構成する地方公共団体の区域を包含するものとされ、構成員は地方公共団体とされる。ただし、広域連合では、住民にも直接請求の権利など一定の権利が認められている（291条の６等）。

　組合の設置は、関係地方公共団体において、それぞれの議会の議決を経て、協議により規約を定めて行う。その場合に、都道府県の加入するものについては総務大臣の許可、その他のものについては都道府県知事の許可が必要とされている（284条２・３項）。なお、公益上必要がある場合は、都道府県知事から関係のある市町村・特別区に対し、一部事務組合又は広域連合を設けるべきことを勧告することが認められている（285条の２第１項）。組合を設置すると、それを構成する地方公共団体は、その事務に関する権限を失い、その権限に属する事項がなくなった執行機関は組合の成立と同時に消滅する。また、組合には、議会と執行機関（一部事務組合の場合は管理者又は理事会、広域連合の場合は長又は理事会・選挙管理委員会など）が置かれるが、組合を組織する地方公共団体の議会の議員又は長その他の職員が兼ねることが認められている（一部事務組合については、当該組合の議会を構成団体の議会をもって組織することも可能）。なお、広域連合の議会の議員と長については、組織する地方公共団体の有権者による選挙又はその議会や長による選挙とすべきことが規定されている。

2　地方公共団体の組合の種類

　地方公共団体の組合には、一部事務組合と広域連合の２種類がある。

(1)**一部事務組合**　地方公共団体が、その事務の一部を共同処理するために設ける組合（284条２項）。その名称、組織する地方公共団体、共同処理する事務、議会の議員や執行機関の選出方法、経費の支弁や方法などについては規約で定められる。

(2)**広域連合**　地方公共団体が、広域的処理を行うのに適当な事務につき広域計画を作成し、必要な連絡調整を図るとともにこれらの事務を総合的・計画的に処理するために設ける組合(284条３項)。その主要な事項は規約によって定められる。広域的処理が適当なものであれば、組織する地方公共団体が異なる事務を持ち寄ることも可能であり、また、国は法律・政令の定めるところにより、都道府県は条例の定めるところによりその事務を広域連合に移譲でき、広域連合の側がこれを要請することも認められている。

■関連法条／地方自治法284条〜293条の2
◉キーワード／一部事務組合　広域連合　特別地方公共団体

【問題】地方公共団体の組合に関する次の記述のうち、妥当なものはどれか。

❶　都道府県知事は、公益上必要がある場合においては、関係のある市町村及び特別区に対し、一部事務組合又は広域連合を設けるべきことを勧告することができる。

❷　地方公共団体の組合には、一部事務組合、広域連合及び協議会の3つがある。

❸　一部事務組合が設置されると、その共同処理することとされた事務に応じて、組織した地方公共団体の執行機関だけでなく、議会も消滅する。

❹　地方公共団体の組合も地方公共団体の一種であるので、その構成員は住民である。

❺　地方公共団体の組合については、法律等に特別の定めがある場合を除き、市に関する規定が適用される。

解説

❶　正しい（285条の2第1項）。

❷　誤り。地方公共団体の組合は、一部事務組合と広域連合の2つである（284条1項）。なお、協議会は特別地方公共団体ではない。

❸　誤り。一部事務組合は事務の一部を処理するものなので、その責務に係る執行機関は消滅するが、組織した地方公共団体の長や議会が消滅することは基本的にない。

❹　誤り。地方公共団体の組合の構成員は、その組合を構成する地方公共団体である。ただし、広域連合については住民にも一定の権利が認められている（291条の6等）。

❺　誤り。都道府県の加入するものには都道府県に関する規定、市や特別区が加入するものであって都道府県の加入しないものには市に関する規定、その他のものには町村に関する規定がそれぞれ準用される（292条）。

【正解　❶】

地方公共団体の区域

1 地方公共団体の区域の意義

地方公共団体の区域は、普通地方公共団体の場所的構成要件であり、人的構成要件である住民や法制度的構成要件である自治権・法人格とともに、地方公共団体の基本的な構成要件の1つとなるものであり、他の地方公共団体と区別させる本質的な要素となるものである。

区域は、単なる行政区画と異なり、次のような法的効果を生じる。

区域内に住所を有する者は、当然にその地方公共団体の構成員となる。その区域内にある者は、住民であるかどうかを問わず、すべてその団体の権能に服することになる。他方、その地方公共団体の権能は、基本的に、地域的にその区域内に限り及ぶことになり、それを超えて権能を及ぼすことはできない。したがって、他の地方公共団体の権能が及んでくることもないということになる。条例や規則等の効力も、原則として、区域外には及ばない。ただし、例外として、公の施設の区域外設置（244条の3）などがある。

2 地方公共団体の区域の範囲

地方公共団体の区域は、地方自治法の施行時に従来の区域をそのまま引き継ぐこととされ、また、都道府県は市町村を包括することとされている（5条）。

地方公共団体の区域は、陸地のみならず、その地域内の内水面、地域に接続する海域・空域、地下に及ぶと解されている。海域については、国家主権の及ぶ範囲である領海（原則として海岸から12海里以内の範囲）が、陸地に接続する領域として地方公共団体の区域となりうる。

このほか、特別地方公共団体の区域については、次のとおり。

①特別区については、市に関する規定が適用され（283条1項）、特別区の区域は「従来の区域」による。

②地方公共団体の組合については、それを構成する地方公共団体の区域を包括する区域と考えられる。ただし、広域連合については規約で定めることとされている（291条の4第1項3号）。

③財産区については、それを構成する市町村・特別区の一部の区域である。

■関連法条／地方自治法5条1項
◉キーワード／地方公共団体の3要素　地方公共団体の場所的構成要件
地方公共団体の権能の地域的限界

【問題】地方公共団体の区域に関する次の記述のうち、妥当なものはどれか。

❶ 領海は、地方公共団体の区域に含まれないので、領海には当然地方公共団体の権能が及ばない。

❷ 地方公共団体の条例や規則の効力は、その区域外に及ぶことはない。

❸ 地方公共団体の区域は、普通地方公共団体にのみ当てはまる概念であって、特別地方公共団体については、区域によって他の地方公共団体と区別する実益がないと解されている。

❹ 地方公共団体の区域には空域や地下は含まれず、空域や地下はすべて国が管理するものとされている。

❺ 郡や市町村の区域内の町・字は単なる区画であり、地方公共団体の区域の範囲を定めるものではない。

解説

❶ 誤り。国の領土と同じく、陸上のみでなくその区域内の河川、湖沼等の水面、陸地に接続する領海、上空及び地下も区域に含まれ、自治権の客体となる。

❷ 誤り。原則としては及ばないが、例外として、公の施設の区域外設置（244条の3）、区域外で勤務する職員に対する勤務条件に関する条例の適用などの例がある。

❸ 誤り。特別地方公共団体についても、区域の概念がある。

❹ 誤り。地方公共団体の区域には、その地域に接続する空域や地下も含まれる。

❺ 正しい。郡は市以外の町村の区域によって画するものであり、町・字は市町村の区域内においてその区域を画するものであり、地方公共団体の区域の範囲にかかわるものではない。

【正解　❺】

地方公共団体の区域の変更

1 地方公共団体の区域の変更

　地方公共団体の区域の変更には、廃置分合（地方公共団体の新設又は廃止を伴う区域の変更。合体、編入、分割及び分立の4種がある）と境界変更（団体の設置廃止に関係のない単なる境界の変更）の2種がある。

(1)**都道府県の区域の変更**　都道府県の廃置分合・境界変更には、特別の法律を制定する（6条1項。この法律は憲法95条の地方自治特別法）ほか、関係都道府県の発意により行うこともできる（6条の2）。

(2)**市町村の区域の変更**　市町村の廃置分合・境界変更は、関係市町村が議会の議決を経てこれを都道府県に申請し、都道府県知事が都道府県の議会の議決を経て定め、総務大臣に届け出る。市の廃置分合については、都道府県知事は事前に総務大臣と協議し、その同意を得なければならない（7条1・2・5項）。都道府県の境界にわたる市町村の廃置分合については、関係市町村・都道府県のそれぞれの議会の議決を経た申請に基づき、総務大臣が市町村の廃置分合及び新設市町村の属すべき都道府県を定めることになる（7条3・4項）。都道府県の境界にわたる市町村の境界変更についても、都道府県の境界の変更を伴うので、関係都道府県及び市町村の申請に基づき総務大臣がこれを定める（7条3項）。これらの処分は、総務大臣の告示により、効力を生じる（7条6・7項）。都道府県の境界は、都道府県の境界にわたって市町村の境界の変更があったとき又は所属未定地域を市町村に編入したときは、自動的に変更される（6条2項）。

2 境界をめぐる紛争

　市町村の境界に関して争論があるとき、又は境界が不明確であるときは、次の手続により境界を確定する。①境界に関し争論がある場合、都道府県知事は、関係市町村の申請に基づき、自治紛争処理委員の調停に付すことができる。調停不調の場合は知事が裁定する。知事がこれを総務大臣に届け出て、総務大臣が告示することにより境界確定処分の効力が生じる。知事の裁定に不服がある場合等においては、関係市町村は裁判所に出訴することができる（9条9項。境界確定の訴え）。②境界に関し争論のない場合、都道府県知事は、関係市町村の意見を聴いて決定することができ、この決定に不服の関係市町村は出訴することができる（9条の2）。

■関係法条／地方自治法６条〜７条の２、８条の２〜９条の２
◉キーワード／廃置分合　合体・編入・分割・分立　境界変更　境界争論
の調停・裁定　境界確定の訴え

> 【問題】地方公共団体の区域の変更に関する次の記述のうち、妥当なも
> のはどれか。

❶　都道府県の廃置分合は、法律で定めることによってのみ可能である。

❷　地方公共団体の区域の人為的な変更のうち、法人格の変動をもたらす
　区域の変更が廃置分合と呼ばれるものであり、これには合体・編入・分
　割・分立の４つがある。

❸　都道府県の境界にわたる市町村の境界の変更については、法律で定め
　ることとされている。

❹　市町村の境界が明確でない場合で、その境界について特に争論がない
　ときは、都道府県知事は、関係市町村長の同意を得て、都道府県の条例
　により境界を定めることができる。

❺　市町村の境界の変更は、関係市町村の申請に基づき都道府県知事が当
　該都道府県の議会の議決を経て定めたときに、直ちに効力を生じる。

解説

❶　誤り。2004年の地方自治法改正により都道府県の申請に基づき内閣が
　国会の承認を経て定めることによっても廃置分合ができることとなった
　（６条の２）。

❷　正しい。人為的な区域変更には廃置分合（法人格の変動を伴う団体の
　新設・廃止により、区域の変更を生じる場合）と境界変更（単なる区域
　の変更）の２つの場合がある。

❸　誤り。関係のある普通地方公共団体の申請に基づき、総務大臣がこれ
　を定める（７条３項）。

❹　誤り。境界に関し争論がないときは、都道府県知事が関係市町村の意
　見を聴いて決定することができる（９条の２第１項）。

❺　誤り。都道府県知事が定め、それを総務大臣に届出をし、受理した総
　務大臣が告示したときに効力を生じる（７条７・８項）。　【正解　❷】

判例 チェック

（地方自治の保障の趣旨・憲法上の地方公共団体・特別区について）
・特別区長公選廃止事件：最高裁昭和38年3月27日判決刑集17巻2号121頁
（教育に関する地方自治の原則等について）
・旭川学力テスト事件：最高裁昭和51年5月21日判決刑集30巻5号615頁
（財産区について）
・土地所有権移転登記手続等請求事件：最高裁昭和32年3月8日判決民集11巻3号502頁
（市町村の境界の確定基準について）・
・筑波山山頂付近境界確定事件：最高裁昭和61年5月29日判決民集40巻4号603頁
（廃置分合について）
・市村編入廃止取消請求事件：最高裁昭和30年12月2日判決民集9巻13号1928頁

新要点演習
地方自治法

第2章

地方公共団体の事務

- ・（概観）
- ・地方公共団体の権能・事務
- ・自治事務
- ・法定受託事務
- ・自治事務と法定受託事務の制度上の
  相違

判例チェック

（概観）

この章では、地方公共団体の権能と事務について取り上げる。

憲法94条は、地方公共団体の権能について、「地方公共団体は、その財産を管理し、事務を処理し、及び行政を執行する権限を有し、法律の範囲内で条例を制定することができる」とする。すなわち、地方公共団体は、その基本的な権能として、自治行政権と自治立法権を有し、これらによってその事務を処理することとなる。地方自治法は、憲法の規定を受けて、地方公共団体の事務に関する規定を置いており、その内容がここでの学習の中心となる。なお、地方分権改革の一環として、平成11年の地方分権一括法において、地方自治を阻害しているとの批判が強かった機関委任事務制度が廃止されたが、この点は、分権時代の地方公共団体の事務について理解する上での前提知識となるといえよう。

1 概説

地方自治法は、地方公共団体は、住民の福祉の増進を図ることを基本として、地域における行政を自主的かつ総合的に実施する役割を広く担うとするとともに、国が本来果たすべき役割として、①国際社会における国家としての事務、②全国的に統一して定めることが望ましい国民の諸活動に関する事務、③地方自治に関する基本的な準則、④全国的な規模・全国的な視点で行うべき施策及び事業を挙げ、住民に身近な行政はできる限り地方公共団体にゆだねることを基本とするとして、国と地方公共団体の役割分担の原則を定めている。つまり、そこでは、地方公共団体を地域における総合的行政主体と位置づけるとともに、いわゆる補完性・近接性の原理の考え方を取り入れ、国は国でなければできない事務を行い、地方公共団体が住民に身近な行政を優先的に担うことで地方公共団体の事務を充実拡大していく方向が示されている。

地方公共団体の事務区分としては、自治事務と法定受託事務がある。自治事務については地方公共団体が処理する事務のうち法定受託事務以外のものとして控除的な定義を採用し、他方、事務の性質や背景等によって国又は都道府県の関与等のあり方や処理の仕方等の面での取扱いに特に差異の認められるものとして、法律又はこれに基づく政令で定める事務を法定受託事務としている。なお、法定受託事務は、地方分権の推進の見地から、

できるだけ抑制されるべきものとされている。

　自治事務と法定受託事務とはその制度上の取扱いが異なり、議会の権限、監査委員の監査、審査請求、国の関与等において異なる取扱いがなされている。この違いは、自治事務が地方公共団体の判断と責任において処理されるのが基本とされているのに対して、法定受託事務は国等が本来果たすべき役割に係るものであり、国等においてその適正な処理を特に確保する必要がある、という点にあるとされる。

2　機関委任事務制度の廃止と地方公共団体の事務化

　機関委任事務制度は、地方公共団体の執行機関、特に都道府県知事又は市町村長を国の機関とし、これに国の事務を委任して執行させる仕組みで、機関委任事務の執行に当たって、地方公共団体は、主務大臣又は国の機関としての都道府県知事の指揮監督を受け、また、職務執行命令等の制度が設けられるなど、国と地方公共団体の関係を上下・主従の関係に置き、中央集権的で地域における総合行政の妨げとなっているなどと批判されていた。

　このため、2000年施行の第1次分権改革において、事務を処理するところに事務権限を付与する現住所主義を原則に、都道府県の事務の7～8割、市町村の事務の3～4割を占めていたともされる機関委任事務制度は廃止され、その多くが地方公共団体の事務とされ、地方公共団体が処理する地域における事務は、自治事務・法定受託事務に再構成された。

　これを通じ、地方公共団体が処理する事務は、すべて地方公共団体の事務となるとともに、国等の関与が縮減・ルール化されることによって、地方公共団体の自己決定権の範囲が拡大することになり、国と地方公共団体は対等の関係に立つこととなったのである。ただし、地方公共団体の事務とされたにもかかわらず、国の法令が詳細に規定する状況は変わっていない。

3　ポイント

　この章では、地方公共団体の権能と事務、自治事務・法定受託事務の意義と制度上の相違が基本的な学習項目となる。それらは、地方自治法を理解する上で基礎的な知識となるものであり、それに関する理念、原則、基本的な考え方などとともに、しっかりとそのポイントを理解しておきたいところである。

地方公共団体の権能・事務

1 地方公共団体の権能

　地方自治法においては、「普通地方公共団体は、地域における事務及びその他の事務で法律又はこれに基づく政令により処理することとされるものを処理する」と規定され、法人としての地方公共団体が幅広い権能を有することが明示されている（2条2項）。

2 自治事務と法定受託事務

　地方公共団体が処理する事務は、「自治事務」と「法定受託事務」の2つに区分される。その場合に、「自治事務」（2条8項）とは、地方公共団体が処理する事務のうち、法定受託事務以外のものをいう。また、「法定受託事務」（2条9項）とは、①法律・政令により都道府県・市町村・特別区が処理することとされる事務のうち、国が本来果たすべき役割に係るものであって、国においてその適正な処理を特に確保する必要があるものとして法律・政令に特に定めるもの（第1号法定受託事務）と、②法律・政令により市町村・特別区が処理することとされる事務のうち、都道府県が本来果たすべき役割に係るものであって、都道府県においてその適正な処理を特に確保する必要があるものとして法律・政令に特に定めるもの（第2号法定受託事務）をいう。

　従来、地方公共団体の事務は、公共事務（固有事務）、法律又はこれに基づく政令により地方公共団体に属する事務（団体委任事務）及び行政事務の3つに区分されており、そのほかに、地方公共団体の執行機関を国の機関とし、これに国の事務を執行させる機関委任事務があった。しかし、従来の地方公共団体の事務区分については、それぞれ異なる基準によるもので理論的な整合性を欠いている、相対的・流動的である、それらの区分によって制度的な効果の相違が伴わないなどの問題点が指摘されており、また、機関委任事務は、国と地方公共団体とを上下関係に置く要因ともなってきた。このため、1999年制定の地方分権一括法による改正によって、この3つの事務区分を見直し、機関委任事務制度を廃止することを通じて、地方公共団体の事務は、自治事務と法定受託事務に再構成されることとなった。これによって、地方公共団体が処理する事務は、すべて地方公共団体の事務とされたのである。

■関連法条／地方自治法２条２〜10項
●キーワード／地域における事務　自治事務　法定受託事務

【問題】地方公共団体の事務に関する次の記述のうち、妥当なものはどれか。

❶　地方公共団体が処理する事務は、その地域における事務のほかは、法律又はこれに基づく政令により処理することとされるものに限られ、他の地方公共団体の事務を処理することはできない。

❷　地方公共団体が処理する事務には、自治事務と団体委任事務の２つがある。

❸　自治事務とは、住民の福祉を増進するという地方公共団体の本来の存立目的を実現するための事務をいい、非権力的なことが特徴である。

❹　法定受託事務とは、地域における事務のうち、法律又はこれに基づく政令により地方公共団体が処理することとされるものの総称である。

❺　地方公共団体は、その事務を処理するに当たっては、地方自治法上、住民の福祉の増進に努めるだけでなく、最少の経費で最大の効果を挙げるようにすべきことも求められている。

解説

❶　誤り。地方自治法２条２項は、法人としての普通地方公共団体が幅広い事務処理権能を有することを規定するものであり、その権能の範囲を制限する意味をもつものではない。地方公共団体が、他の地方公共団体の事務を処理する制度としては、事務の委託（252条の14）などがある。

❷　誤り。自治事務と法定受託事務である。

❸　誤り。自治事務とは、地方公共団体が処理する事務のうち、法定受託事務以外のものすべてを指す概念であり、権力的なものか非権力的なものかは問わない。

❹　誤り。法律・政令により地方公共団体が処理することとされる事務については、自治事務の場合もある。

❺　正しい。地方自治法２条14項は、地方自治運営の基本原則としてそれらについて定めている。　　　　　　　　　　　　　　　　　　　【正解　❺】

自治事務

1 自治事務の意義

自治事務は、地方公共団体が処理する事務のうち、「法定受託事務以外のものをいう」（2条8項）とされている。このように、自治事務について控除的な定義が採用されたのは、現実に地方公共団体が処理している事務が多種多様でありそれを明確に定義することが困難であることに加え、それが地域における行政を地方公共団体が広く担うとする考え方にも合致するからとされている。この規定により、自治事務が地方公共団体の事務の基本となるものであり、非常に幅の広いものであることが表されているといえる。

自治事務には、2000年の地方自治法改正前において地方公共団体の公共事務・行政事務及び団体委任事務とされていたものが含まれるほか、機関委任事務であったものも、法定受託事務とされたものや国の直轄事務とされたものを除き、数多く含まれている。

2 自治事務の性質

自治事務の性質や内容については、地方自治法1条の2、2条11項から13項までの規定、地方自治法の定める関与の原則（245条の3）などを踏まえて定められる法律やこれに基づく政令の規定するところによることになる。

多様な性質をもつ自治事務を分類する方法として、法律に定めのない自治事務と法律に定めのある自治事務、法律に定めのあるものについては、その実施が地方公共団体に義務付けられているものと任意のものとを区別する考え方がある。地方自治法上は、このような区別はされていないが、地方公共団体の事務に対して法律による密度の濃い関与が行われ、規律密度の緩和がなかなか進まないことにかんがみると、この区別は重要であり、特に、法律に定めのある自治事務については、法律で定めることの必要性などについて検証することが求められているといえる。また、地方自治法2条13項において、立法や法の解釈・運用の原則となるものとして、「法律又はこれに基づく政令により地方公共団体が処理することとされる事務が自治事務である場合においては、国は、地方公共団体が地域の特性に応じて当該事務を処理することができるよう特に配慮しなければならない」と定めていることにも留意する必要がある。

■関連法条／地方自治法２条２・８項
◉キーワード／地方公共団体の事務　自治事務

> 【問題】自治事務に関する次の記述のうち、妥当なものはどれか。

❶　自治事務は非権力的な事務に限られ、その種類としては、住民の福祉の増進を目的として施設の設置・経営・管理等を行う事務と地方公共団体の維持存立自体に関わる事務とがある。

❷　自治事務は地方公共団体の固有の事務であり、法律によりその実施を義務付けることは許されないと解される。

❸　法律に定めのある自治事務については、その実施について国が無制限に関与できる。

❹　法律又はこれに基づく政令により地方公共団体が処理することとされる事務が自治事務である場合には、国は、地方公共団体がその規模及び能力に応じて当該事務を処理することができるよう特に配慮しなければならない。

❺　自治事務については、その事務の多様性から明確に定義をするのが困難なため、積極的な定義を置かず、控除的な定義をしている。

解説

❶　誤り。自治事務には、権力的な事務であれ、非権力的な事務であれ、地方公共団体が処理する事務のうち法定受託事務以外のものがすべて含まれる（２条８項）。

❷　誤り。自治事務は、地方公共団体が処理する事務のうち法定受託事務以外のものであり、法律でその事務の実施が定められているかどうかを問わない。

❸　誤り。地方自治法が定める関与のルールに従って行われる。

❹　誤り。法律等で自治事務につき定める場合には、「規模及び能力」ではなく、「地域の特性」につき特別の配慮が求められている（２条13項）。

❺　正しい。地方公共団体が処理する事務のうち法定受託事務以外のものを自治事務という（２条８項）。

【正解　❺】

法定受託事務

1　法定受託事務の意義

　法定受託事務は、国などから法令によって地方公共団体にゆだねられるものであり、その定義は次のとおりである（2条9項）。

①法律又はこれに基づく政令により都道府県、市町村又は特別区が処理することとされる事務のうち、国が本来果たすべき役割に係るものであって、国においてその適正な処理を特に確保する必要があるものとして法律又はこれに基づく政令に特に定めるもの（第1号法定受託事務）

②法律又はこれに基づく政令により市町村又は特別区が処理することとされる事務のうち、都道府県が本来果たすべき役割に係るものであって、都道府県においてその適正な処理を特に確保する必要があるものとして法律又はこれに基づく政令に特に定めるもの（第2号法定受託事務）

　法定受託事務とするかどうかの区分については、その事務に関し規定する法令において定められることになるが、法律に定める法定受託事務については地方自治法の別表に、政令に定める法定受託事務については地方自治法施行令の別表に、それぞれ確認的に列挙されることとなっている。

　法定受託事務は、地方分権推進計画において閣議決定された8項目のメルクマール（国家の統治の基本に密接な関連を有する事務、根幹的部分を国が直接執行している事務、全国単一の制度又は全国一律の基準により行う給付金の支給等に関する事務、国が直接執行する事務の前提となる手続の一部のみを地方公共団体が処理することとされている事務で、当該事務のみでは行政目的を達成し得ないものなど）のいずれかに該当しており、また、今後法定受託事務を設けるに当たっては、その事務が上記メルクマールに該当している必要があるとされる。

2　法定受託事務の性質

　法定受託事務はあくまで地方公共団体の事務であり、国の事務が地方公共団体に委託されるのではなく、地方公共団体の事務として国の法令に基づき割り振られたものである。なお、地方分権推進の観点から法定受託事務は将来抑制すべきものとされており、1999年の地方分権一括法において、法定受託事務はできる限り新たに設けないようにするとともに、法定受託事務であるものの見直しを適宜行う旨の規定が設けられている。

■関連法条／地方自治法２条２・９・10項

●キーワード／地方公共団体の事務　法定受託事務　第１号法定受託事務
第２号法定受託事務　国・都道府県が本来果たすべき役割

【問題】法定受託事務に関する次の記述のうち、妥当なものはどれか。

❶　法定受託事務かどうかは法令上特に明示される必要はなく、その事務
を規定する法令の趣旨などから個別に判断するものとされている。

❷　法定受託事務については、都道府県知事は主務大臣の、市町村長は都
道府県知事及び主務大臣の指揮監督を受ける。

❸　法定受託事務は、国の事務が地方公共団体に委託されるものではなく、
地方公共団体の事務として国の法令に基づき割り振られたものである。

❹　第２号法定受託事務は、都道府県が本来果たすべき役割に係るもので、
都道府県において適正な処理を特に確保する必要があるものとして、法
律又は都道府県条例に定めるものをいう。

❺　法律・政令により地方公共団体が処理することとされる事務はすべて
法定受託事務に区分される。

解説

❶　誤り。法定受託事務とするかどうかの区分は、その事務に関し規定す
る法令において定められ、かつ、地方自治法及び同法施行令の別表に確
認的に列挙される（２条10項）。

❷　誤り。これは機関委任事務に関する記述であり、法定受託事務につい
てはそのような一般的な指揮監督権は認められていない。

❸　正しい（２条９項）。

❹　誤り。第２号法定受託事務も、法律又はこれに基づく政令で定めるも
のとされている（２条９項２号）。

❺　誤り。法定受託事務は、法律・政令により地方公共団体が処理するこ
ととされる事務のうち、国又は都道府県が本来果たすべき役割に係るも
のであって、国又は都道府県においてその適正な処理を特に確保する必
要があるものとして法律又はこれに基づく政令に特に定めるものである
（２条９項）。法律・政令により地方公共団体が処理することとされる事
務の中には自治事務もある。　　　　　　　　　　　　　　　【正解　❸】

自治事務と法定受託事務の制度上の相違

自治事務と法定受託事務には、次のような相違点がある。

1 条例制定権

自治事務、法定受託事務のいずれに関しても、地方公共団体は、法令に違反しない限り、条例を制定することができる（14条1項）。ただ、法定受託事務については、基本的に国の法律又はこれに基づく政令により事務を処理することになるので、条例を制定する余地はかなり狭まることになる。なお、事務に係る手数料は、自治事務、法定受託事務とも条例で定めることとされている（228条1項）。

2 議会・監査委員の権限

(1) 自治事務については、議会の権限（議決権、検閲・検査請求権、監査請求権及び調査権。96条、98条〜100条）と監査委員の権限（199条）のすべてが及ぶ（労働委員会・収用委員会の権限に属するものを除く。自治令121条の4第1・3項、121条の5第1項、140条の5第1項）。

(2) 法定受託事務については、議会の議決権は、国の安全に関することなど政令で定めるものを除いて及ぶ（96条2項、自治令121条の3）。また、議会の検閲・検査請求権、監査請求権及び調査権も、国の安全・個人の秘密に関するもの、収用委員会の権限に属するものは、その対象外となる（自治令121条の4第2・4項、121条の5第2項）。監査委員の権限も同様である（自治令140条の5第2項）。

3 審査請求

自治事務については、その地方公共団体に対する審査請求によることが基本となる。法定受託事務については、当該事務は国等が本来果たすべき役割に係るものであるという性格にかんがみ、原則として国等への審査請求が認められている（255条の2）。

4 国の関与

自治事務については、基本的に、①助言・勧告、②資料の提出の要求、③是正の要求、④協議、が原則的な関与であるが、法定受託事務の場合には、基本的に①助言・勧告、②資料の提出要求、③同意、④許可・認可・承認、⑤指示、⑥代執行、⑦協議、の7類型の関与が認められている。

■関連法条／地方自治法２条８項・９項、255条の２等

●キーワード／自治事務　法定受託事務　議会・監査委員の権限　国の関与

【問題】自治事務と法定受託事務の制度上の相違に関する次の記述のうち、妥当なものはどれか。

❶　自治事務も法定受託事務も地方公共団体が処理すべき事務なので、国等が処理基準を設けることは一切許されない。

❷　法定受託事務は法律又はこれに基づく政令により事務を処理することとされているので、地方公共団体はこれについて条例を制定することはできない。

❸　法定受託事務は、本来国等の事務であってその管理・執行が地方公共団体の長に委任されているものであるので、地方公共団体の議会は、その執行状況について検査・検閲することはできない。

❹　地方自治法上、地方公共団体の処理する事務について国等の関与は認められているが、自治事務への関与については、助言・勧告や是正の要求などにとどまり、代執行はできない。

❺　自治事務も法定受託事務も地方公共団体の事務であるから、当該事務の処理に対する審査請求は、個別法に特別の定めがない限り、国の行政機関に対してはできない。

解説

❶　誤り。法定受託事務の処理基準については可能（245条の９）。

❷　誤り。法定受託事務も地方公共団体の事務であり、地方公共団体は、法令に反しない限り、条例を定めることができる（14条）。

❸　誤り。法定受託事務も地方公共団体の事務であるので、議会は、一部の例外を除き、その執行状況について検査・検閲することができる。

❹　正しい（245～245条の８）。

❺　誤り。自治事務については正しい。法定受託事務については、当該事務が国等が本来果たすべき役割に係るものであるという性格にかんがみ、原則として、国等への審査請求が認められている。　　　　【正解　❹】

（市町村の事務・法治主義について）
・浦安ヨット係留杭撤去事件：最高裁平成 3 年 3 月 8 日判決民集45巻 3 号164頁
（効率性の原則等について）
・宮津土地開発公社土地買取事件：最高裁平成20年 1 月18日判決民集62巻 1 号 1 頁
（行政権の濫用等について）
・余目町個室付浴場事件：最高裁昭和53年 6 月16日判決刑集32巻 4 号605頁

新要点演習
地方自治法

第3章
住　民

- （概観）
- 住民の意義とその権利・義務
- 選挙権と被選挙権
- 長と議会の議員の選挙の仕組み
- 直接参政の制度
- 条例の制定改廃請求
- 事務の監査請求
- 議会の解散請求
- 長、議員などの解職請求
- 請願と陳情
- 住民の活動組織
- 公の施設の意義
- 公の施設の設置・管理
- 公の施設の利用

判例チェック

（概観）

憲法及び地方自治法により、地方公共団体は、国民により身近な統治団体として、住民自治の理念を基本として、住民の福祉の増進を目的とした活動を行うために設けられているものである。そこにおいて、住民は、その地方公共団体の構成員であるとともに、地方公共団体の運営の主体としての地位をもつことになる。この章では、地方公共団体の本質的要素の１つである住民について取り上げる。

1　概説

地方自治は、団体自治と住民自治の２つの要素から成り立っているが、このうち、住民自治は、地域の住民が地域の政治・行政を自己の意思に基づき、自己の責任において行うことを意味する。地方自治は、民主主義の基盤となるものであり、地域の住民が、その権限と責任の下で地域的な課題を自主的に解決することは、市民としての自覚と公共精神の発揚にも役立ち、それがひいては国の政治の民主化にもつながるといえよう。

地方公共団体の住民の範囲については、市町村の区域内に住所を有する者は、当該市町村及びこれを包括する都道府県の住民とされる。市町村の区域内に住所を有する者については、自然人のみならず法人も含まれ、国籍のいかんも問わない。その場合、自然人については生活の本拠をもって住所とされ、法人については主たる事務所の所在地又は本店の所在地をもって住所とされる。

住民は、法律の定めるところにより、その属する地方公共団体の役務の提供を受ける権利を有し、その負担を分任する義務を負うとともに、その地方公共団体の運営に参加する権利（参政権）を有する。ただし、住民としての権利義務については、法人及び外国人の場合には一定の制約がある。

住民が有する参政権としては、地方公共団体の長及び議会の議員を選挙する権利、直接請求をする権利、住民監査請求・住民訴訟の権利などがある。地方公共団体の長及び議会の議員の選挙については、地方公共団体の住民が直接選挙することが憲法によって保障され、これを受けて地方自治法において、日本国民たる地方公共団体の住民で一定の要件を満たすものに選挙権が付与されている。なお、住民である永住外国人について選挙権を与えるべきとの議論もなされているが、この点、最高裁判所は、外国人

でも永住者等であってその居住する区域の地方公共団体と特段に密接な関係をもつに至った者については、地方公共団体の長及び議会の議員に関する選挙権を与える措置を講じることは憲法上可能としている（最高裁平成7年2月28日判決）。

2　住民参加をめぐる最近の動き

　近年、各地で住民投票をめぐる動きが活発化している。住民投票については、議会の解散請求と議員・長の解職請求があった場合に行われる住民投票、地方自治特別法に関する住民投票、合併協議会の設置についての住民投票、大都市地域特別区設置法に基づく特別区の設置についての住民投票が制度化されているところであるが、そのほかに、住民の利害に関連をもつ重要な事項を決定するに当たり住民投票に付すとする住民投票条例を制定する地方公共団体が増えており、それに基づいて実際に住民投票が行われてきている。もっとも、これらの条例による住民投票は、地方自治法等との関係から法的拘束力をもたせるのは困難との議論もあることから、諮問型の住民投票として制度化され、実施されているものである。

　さらに最近は、地方行政を進める上で、住民参加や住民とのパートナーシップの重要性が強調されるようになっており、個別の法律や条例において、公聴会、説明会、意見書の提出などの制度が定められるようになっているほか、多くの地方公共団体で、政策立案などに際し、住民に対する説明会・ワークショップの開催、パブリックコメントの実施など、地方行政に住民の意思を反映するための工夫が積極的に行われるようになっている。また、その際には、地縁による団体や特定非営利活動法人（NPO）との協働関係、コミュニティの形成などの重要性も指摘されている。

3　ポイント

　この章では、住民の意義、住民の権利・義務、選挙権・被選挙権・直接請求権などの具体的な内容、選挙の仕組み、住民の活動組織などが基本的な学習項目となる。また、住民サービス提供の中心となる公の施設についてもここで取り上げる。地方分権の進展とともに、住民自治の強化の必要があらためて叫ばれているだけに、住民の意義・位置づけ・権利などの基礎的な部分については、特にしっかりと理解しておきたいところだ。

住民の意義とその権利・義務

1　住民の意義

　住民は、地方公共団体を構成する要素の1つ（人的構成要素）であり、その運営の主体である。また、そもそも、地方公共団体は、住民の福祉の増進をその存立目的とするものである（1条の2第1項）。

　市町村の区域内に住所を有する者は、当該市町村及びその市町村を包括する都道府県の住民となる（10条1項）。「市町村の区域内に住所を有する者」は、自然人たると法人たるとを問わず、また、国籍のいかんも問わず、住所を有することのみをもってその市町村の住民となる。なお、「住所」については、自然人については生活の本拠をもって住所とされ（民法22条）、法人については主たる事務所の所在地（一般法人法4条）、本店の所在地（会社法4条）などをもって住所とされている。

2　住民の権利義務

　住民は、法律の定めるところにより、地方公共団体からサービスの提供を受ける権利を有するとともに、その負担を分任する義務を負っている（10条2項）。

　まず、住民の権利としては、次のものが挙げられる。①**役務の提供を受ける権利**　役務提供とは、公の施設の利用のほか、各種の公共的扶助制度、資金の貸付け等の財政的援助など住民に対する利便、サービスの提供をすべて包含する（10条2項）。②**参政権**　住民は、地方公共団体の構成員として、地方公共団体の運営に参加する権利を有する。参政権の最も基本的なものは選挙権であり、日本国民たる住民は、その属する地方公共団体の選挙に参与する権利を有する（11条）。また、選挙権を有する日本国民たる住民は、直接参政権として、条例の制定改廃、事務の監査、議会の解散、議員・長等の解職の直接請求をすることができる（12条、13条等）。これらのほか、直接参政の制度としては、地方自治特別法に関する住民投票（憲法95条）と住民監査請求及び住民訴訟（242条～242条の3）などがある。

　他方、住民の義務としては、地方公共団体の負担を分任する義務がある（10条2項）。これは地方公共団体の運営に必要な経費は住民が負担すべきことを定めたものであり、地方自治の原則といえる。この負担としては、地方税のほか、分担金、使用料、手数料、受益者負担金などが含まれる。

■関連法条／地方自治法10条〜13条の2

●キーワード／住民自治　役務の提供を受ける権利　参政権　地方公共団体の負担を分任する義務

> 【問題】地方公共団体の住民に関する次の記述のうち、妥当でないものはどれか。

❶　その地方公共団体の区域に住所を有していれば、住民となり、住民としての届出をしているかどうかを問わない。

❷　住民監査請求をできる者は、選挙権を有する住民に限られない。

❸　住民は、当該地方公共団体の住民サービスの提供を受ける権利を有するが、この利益は住民以外の者も享受できる。

❹　事務の監査請求をすることができる者は、当該地方公共団体に住所を有するすべての住民である。

❺　住民は、自然人であるか法人であるかを問わず、また、外国人も住民となりうる。

解説

❶　正しい（10条1項）。

❷　正しい。住民監査請求（242条）は、普通地方公共団体の住民である限り、選挙権の有無を問わずすべての住民に認められた権利である。

❸　正しい。地方自治法10条2項は、住民がその住民たる資格に基づいて役務の提供を等しく受ける権利を有することを明らかにしただけであり、これらの役務の提供を当該地方公共団体の判断により住民以外の者に受けさせることを妨げるものではない。

❹　誤り。事務監査を請求できるのは、「選挙権を有する者」（75条1項）に限られる。これは、この請求権が当該地方公共団体の事務執行の実情を明らかにし、住民の監視と批判を通じて適正な行政運営を図ることを目的とした直接参政制度の1つだからである。

❺　正しい。市町村に住所を有するという事実があれば住民の地位を取得する。自然人たると法人たるとを問わず、また、日本国民であるか外国人であるかも関係ない。　　　　　　　　　　　　　　【正解　❹】

選挙権と被選挙権

憲法93条2項は、「地方公共団体の長、その議会の議員及び法律の定めるその他の吏員は、その地方公共団体の住民が、直接これを選挙する」とし、地方公共団体における住民の参政権の基本について規定している。直接選挙を明確に規定している点に注意を要する。なお、「法律の定めるその他の吏員」としては、かつては旧特別市の行政区の区長や教育委員会の旧公選委員があったが、現在では該当するものはない。

選挙については、「別に法律の定めるところにより、選挙人が投票によりこれを選挙する」（17条）と規定されており、選挙に関する定めは公職選挙法にゆだねられている。

1　選挙権（18条、公職選挙法9条2項）

①日本国民たる年齢18歳以上の者で、②引き続き3か月以上市町村の区域内に住所を有するものは、その地方公共団体の議会の議員及び長の選挙権を有する。ただし、禁錮以上の刑に処せられその執行を終るまでの者などの欠格事由に該当する場合には選挙権を有せず、一定の選挙犯罪で処罰された者は一定期間選挙権が停止される（公職選挙法11条、252条、政治資金規正法28条1〜3項）。なお、ある市町村で②の住所要件を満たした者が同一都道府県内の他の市町村に移転した場合、その者は、引き続きその都道府県の議会の議員及び長の選挙権を有する（公職選挙法9条4項）。なお、選挙人名簿に登録されていない者は、原則として投票できない（公職選挙法42条）。

2　被選挙権（19条、公職選挙法10条3〜6号）

被選挙権は、職によってその要件が異なる。①「地方公共団体の議会の議員の選挙権を有する者で年齢25歳以上の者」は、その地方公共団体の議会の議員の被選挙権を有する。すなわち、議会の議員の被選挙権をもつためには、その地方公共団体の住民であることを要する。②「日本国民で年齢30歳以上の者」は都道府県知事の被選挙権を有し、「日本国民で年齢25歳以上の者」は市町村長の被選挙権を有する。すなわち、長の被選挙権については、その地方公共団体の住民であることを要しない。

選挙権の場合と同様、欠格事由と被選挙権の停止について規定がある（公職選挙法11条、11条の2、252条、政治資金規正法28条1〜3項）。

■関連法条／地方自治法17条〜19条　公職選挙法 9 条〜11条の 2 、252条等
●キーワード／直接選挙　参政権　選挙権　被選挙権　長　議員

> 【問題】地方公共団体の選挙に関する次の記述のうち、妥当なものはどれか。

❶　憲法上、地方公共団体の長や議会の議員だけでなく、法律の定めるその他の吏員も、住民が直接選挙するものと定められており、選挙管理委員会の委員の一部については住民の直接選挙で選ばれる。

❷　憲法は、公務員の選挙について成年者による普通選挙を保障しており、選挙権年齢については民法の成年年齢より引き下げることはできない。

❸　一定年齢以上の日本国民であるだけでなく、引き続き 1 年以上市町村の区域内に住所を有する者が、当該地方公共団体の議員及び長の選挙権を有する。

❹　地方公共団体の長の被選挙権を有するには、都道府県知事では年齢30歳以上、市町村長では年齢25歳以上の者であり、かつ、いずれもその区域内に住所を有する者でなければならない。

❺　ある市町村で法律の定める住所要件を満たした者が同一都道府県内の他の市町村に引っ越した場合は、その者は引き続き当該都道府県の議会の議員及び長の選挙権を有するものとされている。

解説

❶　誤り。「法律の定めるその他の吏員」については、旧特別市の行政区の区長や教育委員会の旧公選委員が住民の直接選挙によるものとされていたこともあったが、現在該当するものはない。

❷　誤り。憲法15条 3 項は普通選挙の原則を定めるが、選挙権年齢を民法の成年年齢より引き下げることを禁じるものではない。なお、民法の成年年齢も2022年 4 月から18歳に引き下げられる。

❸　誤り。住所要件は、 3 か月以上とされている（18条）。

❹　誤り。長の被選挙権においては、議会の議員の被選挙権の場合とは異なり、住所要件は必要ない（19条、公職選挙法10条 1 項）。

❺　正しい（公職選挙法 9 条 4 項）。　　　　　　　　　　　　【正解　❺】

長と議会の議員の選挙の仕組み

　地方自治法における地方公共団体の長と議会の議員の選挙については、17条から19条までに基本的事項に関する規定が置かれるのみで、その他の事項は公職選挙法において規定されている。

1　選挙区　都道府県知事及び市町村長の選挙は、当該地方公共団体の区域を単位として行われる。

　都道府県議会の議員の選挙については、①一の市の区域、②一の市の区域と隣接する町村の区域を合わせた区域、③隣接する町村の区域を合わせた区域のいずれかによる選挙区ごとであり、市町村議会の議員の選挙については、原則として市町村の全区域（指定都市は区の区域による選挙区ごと）であるが、特に必要がある場合に限り、条例で選挙区を設けることができる（公職選挙法12条3・4項、15条）。なお、選挙区を設ける場合、各選挙区で選挙される議員の数は人口に比例して条例で定めなければならない（公職選挙法15条8項）。

　なお、地方議会議員選挙区間における投票価値について、最高裁は、「住民が選挙権行使の資格において平等に取り扱われるべきであるにとどまらず、その選挙権の内容、すなわち投票価値においても平等に取り扱われるべきである」と判示している（最高裁昭和59年5月17日判決）。

2　選挙の種類　選挙の事由により、種類と選挙期日（投票日）が定まる。

⑴議会の議員の選挙　議員の選挙には、議員全員を改選する一般選挙と議員の一部を選出する特別選挙がある。

　一般選挙は次のとおり。①議員の任期満了による選挙（任期満了前30日以内）、②議会の解散による選挙（解散の日から40日以内）、③市町村の設置による選挙（設置の日から50日以内）、④当選人と議員の欠員で議員がいなくなった場合の選挙（その事由発生の日から50日以内）

　特別選挙は次のとおり。①当選人が不足して一定数の欠員がある場合に行われる再選挙、②議員が欠員となって一定数の欠員がある場合に行われる補欠選挙、③議員の定数を増加した場合に行われる増員選挙（いずれも事由発生の日から50日以内）

⑵地方公共団体の長の選挙　①任期満了による選挙（任期満了前30日以内）、②市町村の設置による選挙（設置の日から50日以内）、③当選人がいない場合の再選挙（事由発生の日から50日以内）、④長が欠けた場合又は退職の申立てをしたことによる選挙（事由発生の日から50日以内）

■関連法条／公職選挙法9条〜12条、15条〜18条

◉キーワード／選挙区　投票価値の平等　一般選挙　特別選挙

【問題】長と議会の議員の選挙に関する次の記述のうち、妥当でないものはどれか。

❶　地方公共団体の長の任期満了による選挙と議会の議員の任期満了による一般選挙については、その任期の終わる日の前30日以内に行う。

❷　最高裁は、地方公共団体の議会の議員選挙における選挙区間の投票価値について、国政選挙と同様、平等に取り扱われるべきことは、憲法の要求するところであると判示した。

❸　都道府県と指定都市の議会の議員の選挙は、選挙区ごとに行われるのに対し、市町村議会の議員については、特に必要がある場合に、条例で選挙区を設けることができる。

❹　議会の議員の選挙については、議員の欠員が生じた場合には直ちに行われるが、議員の定数を増加した場合には直ちには行われない。

❺　都道府県知事及び市町村長の選挙は、当該地方公共団体の区域を単位として行われる。

解説

❶　正しい（公職選挙法33条1項）。

❷　正しい。最高裁昭和59年5月17日判決等。なお、判例は、較差が選挙権の平等の要求に反し、合理的な期間内に是正が行われないときは、公職選挙法15条8項に違反し、違法となるとする。

❸　正しい（公職選挙法15条）。なお、都道府県議会の議員の選挙区については、市の区域・市と隣接町村の区域・隣接町村の区域を基本に条例で定めるものとされている。

❹　誤り（公職選挙法113条）。議員の欠員が生じ、それが一定数に達した場合に、補欠選挙が行われる。また、議員の定数の変更は一般選挙の場合でなければ行うことができないのが原則であるが（地方自治法90条、91条）、議員の定数を任期中に増加した場合には、増員選挙が行われる。

❺　正しい（公職選挙法12条3項）。　　　　　　　　　　　【正解　❹】

直接参政の制度

憲法は、地方公共団体に住民の代表機関として議会及び長を置き、これを住民の公選によることとして、地方自治についても間接民主制を基本としている。他方で、間接民主制を補完するため、地方自治法上、直接参政の制度が大幅に取り入れられている。直接参政の制度は、直接請求とそれ以外のものに分けることができる。

1　直接請求

直接請求とは、選挙権を有する者が、一定数以上の連署をもって、その代表者から条例の制定改廃、事務の監査、議会の解散、議員・長等の解職を請求するものである。直接請求は、選挙権を有する者に認められた権利であるが、それ自体は直接意思決定をするものではなく、議会又は選挙権を有する者の投票により意思決定等を行うための最初の手続となるものである。**①条例の制定改廃の請求**（74条〜74条の4）　これは、住民に条例等の発案権を認めるもので、条例の制定改廃について議会の議決を請求するものである。**②事務の監査の請求**（75条）　地方公共団体の事務の執行の実情を明らかにし、住民の監視と批判を通じて適正な行政運営を図ることを目的に認められている請求であり、監査委員に監査を請求するものである。**③議会の解散の請求**（76〜79条）　住民が議会の解散を直接請求する権利を認めるものであり、選挙人の投票で過半数の同意を得た時点で議会が解散される。**④主要公務員の解職の請求**（80、81条）　住民が直接又は間接に選任した地方公共団体の主要公務員のリコール制度である。

2　その他の直接参政の制度

直接請求以外の直接参政の制度としては、住民監査請求・住民訴訟（242条〜242条の3）がある。住民監査請求・住民訴訟は、違法・不当な公金の支出、財産の取得・処分等を防止又は是正するために認められたものであり、納税者訴訟とも呼ばれるものである。

なお、地方自治法上の一般的な制度ではないが、直接参政の制度として重視されるようになっているものに、住民投票制度がある。住民投票は、特定の案件について住民が直接賛否の意思表明を行いその結果により意思決定をするものであるが、現行制度の下で、条例で規定されているのは、法的拘束力をもたない諮問型の住民投票である。

■関連法条／地方自治法12条、13条、74条〜88条

●キーワード／直接請求　条例の制定改廃の請求　事務の監査請求　議会の解散の請求　主要公務員の解職の請求　住民監査請求　住民訴訟　住民投票

【問題】直接請求に関する次の記述のうち、妥当なものはどれか。

---

❶　議会の解散請求は、その議会の議員の一般選挙があった日から1年間はすることができないのに対し、議員の解職請求は就職した日から行うことができる。

❷　直接請求は、住民の地方自治行政への直接参政を目的とするものであるから、請求の相手は、いずれも地方公共団体の長である。

❸　事務監査請求の対象は、違法・不当な公金の支出、財産の取得、契約の締結など当該地方公共団体の執行機関又は職員の具体的な財務会計上の行為又は怠る事実に限られる。

❹　条例の制定改廃の請求では、地方税の賦課徴収並びに分担金、使用料及び手数料の徴収に関する条例の制定改廃については請求できない。

❺　住民監査請求は、納税者の基本的な権利として認められた直接請求の制度であり、納税者であれば誰でもすることができる。

解説

❶　誤り。議員の解職請求も、原則として就職の日から1年間はすることができない（84条）。

❷　誤り。直接請求のうち、条例の制定改廃の請求は長に、事務の監査の請求は監査委員に、議会の解散の請求は選挙管理委員会に、議員及び長の解職請求は選挙管理委員会に、副知事、副市町村長等の解職請求は長に対して、それぞれ請求を行う。

❸　誤り。直接請求たる事務監査請求の対象は、当該普通地方公共団体の事務であり、住民監査請求とは異なり財務関係に限られない。

❹　正しい（74条1項）。

❺　誤り。住民監査請求は、直接請求ではなく、また、行為能力を有する住民であれば行うことが可能。　　　　　　　　　　　　　　　【正解　❹】

条例の制定改廃請求

　選挙権を有する者は、その総数の50分の1以上の者の連署をもって、その代表者から、地方公共団体の長に対し、条例（地方税の賦課徴収並びに分担金、使用料及び手数料の徴収に関するものを除く）の制定又は改廃の請求をすることができる（12条1項、74条1項）。条例の制定改廃の請求は、いわゆるイニシアチブ（発案権）の一種である。

　請求の内容については、次の要件を満たす必要がある。①条例を制定できる範囲内の事項である必要がある。つまり、法令に違反せず、かつ、その地方公共団体の事務に関するものでなければならない。②地方税の賦課徴収、分担金・使用料・手数料の徴収に関する条例の制定改廃は請求できない。なお、②を除くこととした理由は、これを認めると地方公共団体の財政的基礎を危うくし、その存在を脅かすおそれがあるためである。

　請求は、その地方公共団体の議員・長の選挙権を有する者が、その総数の50分の1以上の者（すべて選挙権を有する者でなければならない）の連署をもって、代表者から、長に対して行う（74条1項）。

　請求があったときは、長は直ちに請求の要旨を公表しなければならない（74条2項）。そして、長は請求を受理した日から20日以内に議会を招集し、意見を付けて議会に付議し、その結果を代表者に通知するとともに、公表しなければならない（74条3項）。

　条例の制定改廃を行うかどうかは、通常の条例案と同じく、議会が決する。すなわち、議会は、その条例案を可決することも、否決することも、あるいは修正可決することも自由である。そして、その議決は、通常の条例案のとおり、長の拒否による再議の場合（出席議員の3分の2以上の者の同意を要する。176条3項等）を除いて、出席議員の過半数の同意による。なお、議会が付議された事件の審議を行うに当たっては、請求の代表者に意見を述べる機会を与えなければならない（74条4項）。

　なお、請求の連署が、選挙人名簿に登録されている者によるものであるかどうか、違法ではないかなどの確認が必要であり、これに関する手続も詳細に規定されている（74条の2〜74条の4）。

　また、2011年の改正では、直接請求の代表者の資格制限に関する規定、公務員の地位利用による署名運動に対する罰則が追加された。

■関連法条／地方自治法12条1項、74条〜74条の4
◉キーワード／直接請求　イニシアチブ　条例の制定改廃

> 【問題】条例の制定改廃請求に関する次の記述のうち、妥当なものはどれか。

❶　条例の制定改廃の請求は、選挙権を有する者の総数の50分の1以上の者の連署をもって、その代表者から、議会に対してではなく、長に対して行われるが、その場合、条例案の添付が必要である。

❷　条例の制定改廃請求は、地方税の賦課徴収に関しては行うことができないが、使用料や手数料の徴収に関しては行うことができる。

❸　条例の制定改廃の請求に係る条例案の審議は、そのため特別に長が招集する臨時会において行われ、その議決には、出席議員の3分の2以上の者の同意がなければならない。

❹　長は、条例の制定改廃の請求を受理した日から10日以内に議会を招集し、請求に係る条例案を議会に付議しなければならないが、長がこの条例案について意見を付けることは認められていない。

❺　議会は、長から付議された直接請求に係る条例案の審議に当たってはその条例案を可決又は否決することはできるが、修正して可決することはできない。

解説

❶　正しい。条例の制定改廃の請求には条例案の添付が必要である（74条1項、地方自治法施行規則9条等）。

❷　誤り。地方税の賦課徴収だけでなく、分担金・使用料・手数料の徴収についても請求の対象から除外されている（74条1項）。

❸　誤り。審議の場は、長が請求を受理した日から20日以内に招集されれば、定例会・臨時会のいずれでもよく、議決は出席議員の過半数による（116条1項）。

❹　誤り。20日以内に議会を招集し、意見を付けて付議する。

❺　誤り。通常の条例案の場合と全く同じであり、議会は、その案を修正可決することもできる。　　　　　　　　　　　　　　　【正解　❶】

事務の監査請求

　選挙権を有する者は、その総数の50分の１以上の者の連署をもって、その代表者から、地方公共団体の監査委員に対し、当該地方公共団体の事務の執行に関し、監査の請求をすることができる（12条２項、75条）。

　地方公共団体の行政運営の公正な執行を確保するために自主監査機関として監査委員が設けられているが、事務の監査請求は、直接請求の１つとして、住民が直接地方公共団体の事務を監視し、行政の実態を明らかにするために認められている制度である。しかし、住民自らが監査することを認めたわけではなく、監査委員に監査を請求するものであり、監査委員はこの請求に拘束され、監査を実施しなければならない。

　監査の対象となる事項は、当該普通地方公共団体の事務の執行全般である。すなわち、住民監査請求（242条）と異なり、金銭又は物品の収支、保存等の財務会計事務だけでなく、広く当該地方公共団体の事務の執行全般に及ぶ。監査請求の手続は、選挙権を有する者がその総数の50分の１以上の連署をもって、その代表者から監査委員に対して、監査の請求を行う。監査委員は、監査請求を受理したならば、直ちに、請求に係る事項を監査し、その結果を、請求代表者に通知するとともに公表する。同時に議会、長及び関係執行機関に報告することとされている（75条）。

　なお、この場合の監査を、監査委員でなく、個別外部監査契約に基づく監査によることができることを条例で定めている地方公共団体では、選挙権を有する者が請求する場合には、個別外部監査によることを求めることが認められている（252条の39）。

　住民が、地方公共団体の事務運営に関して監査を請求する方法には、この事務監査請求のほか、地方自治法242条に基づく住民監査請求がある。これらは、いずれも住民の直接参政の方式であり、地方公共団体の事務運営の不正不当を防止・是正するという点、監査委員に対する監査の請求であるという点で共通するが、①その本来の目的が、前者は行政運営の公正と能率化を図ることにあるのに対し、後者は違法不当な財務運営による損害の発生の防止・是正にあり、②手続面では、前者が選挙権者の50分の１以上の連署を要するのに対し、後者は選挙権の有無に関係なく住民単独でも請求できる点で異なり、現実には後者が専ら利用されている。

■関連法条／地方自治法12条２項、75条

◉キーワード／直接請求　監査委員　監査請求　住民監査請求　個別外部
監査

【問題】地方公共団体における事務の監査請求に関する次の記述のうち、
妥当なものはどれか。

❶　監査委員は、適法な事務監査請求を受理したときは、請求に係る事項
を監査し、その結果の報告を請求代表者に送付し、かつ、公表するとと
もに、これを議会、長及び関係執行機関に提出しなければならない。

❷　事務監査請求・住民監査請求ともに、住民の参政権の１つであり、当
該地方公共団体の住民であれば誰でもその権利を行使することができる。

❸　事務監査請求の対象は、自治事務に限られ、法定受託事務は含まれな
い。

❹　事務監査請求の対象は地方公共団体の事務とされるが、労働委員会及
び収用委員会に関する事務は請求の対象外とされている。

❺　事務監査請求権は、住民が直接行政を監視し、その実態を明らかにす
るために認められた制度であるから、請求をしても監査委員が監査を実
施しない場合には、住民自らが監査を行うことができる。

解説

❶　正しい（75条３項）。

❷　誤り。住民監査請求は行為能力のある住民であれば国籍や個人・法人
を問わず行うことができるのに対し、事務監査請求は選挙権を有する者
に限られる（75条１項）。

❸　誤り。直接請求たる事務監査請求の対象は、「当該普通地方公共団体
の事務」（75条１項）であり、自治事務に限らず、法定受託事務も含ま
れる。

❹　誤り。事務監査請求についてはそのような制限はないが、監査につい
ては自治事務に関しそれらは対象外とされている（199条２項）。

❺　誤り。事務監査請求は、住民自らが監査することを認めたものではな
く、あくまでも監査委員に監査を請求するものである。　【正解　❶】

議会の解散請求

　地方公共団体の議会の解散請求については、地方自治法76条から79条までに規定がある。

　議会は、住民の代表の合議体であり、基本的には選挙によって住民の意思が議会に反映される。しかし、選挙後に議会が住民の意思からかけ離れた方向に進むこともあり、その是正を図るのが、議会の解散請求である。その場合の請求の対象は議会を解散することであり、解散して選挙を行い、新たな議会を構成することを目的とするものである。

　議会の解散請求について定める地方自治法76条は普通地方公共団体に関する規定であるが、特別地方公共団体についても一定の範囲で適用される。まず、特別区については適用がある（283条１項）。地方公共団体の組合については、当該組合の議会の議員が住民の直接選挙で選任される場合には適用される（291条の６等）。財産区については、明文の規定がないことから適用はなく、条例によって解散請求の規定を設けることもできないと解される。

　選挙権を有する者は、その総数の原則３分の１以上の者の連署（有権者数が40万を超え80万以下の場合は、40万を超える数×1/6＋40万×1/3。80万を超える場合は、80万を超える数×1/8＋40万×1/6＋40万×1/3）をもって、その代表者から、地方公共団体の選挙管理委員会に対し、議会の解散の請求をすることができる（13条１項、76条１項）。

　請求があると、まず選挙管理委員会は請求の要旨を公表する（76条２項）。そして、選挙管理委員会は選挙人の投票に付し（76条３項）、その結果が判明したときと確定したときには、それぞれ代表者と議会の議長に通知し、かつ、これを公表し、都道府県であれば都道府県知事、市町村であれば市町村長に報告するものとされている（77条）。投票の結果過半数の同意（有効投票の過半数で足りる）があれば、その投票の日をもって議会は解散されることになる（78条）。

　なお、議会活動の安定という見地から、一般選挙のあった日又は解散請求に基づく選挙人の投票のあった日から１年間は、議会の解散の請求をすることができない（79条）。

■関連法条／地方自治法13条１項、76条〜79条
●キーワード／直接請求　解散請求　住民投票　解散　リコール

> 【問題】地方公共団体における議会の解散請求に関する次の記述のうち、妥当なものはどれか。

❶　議会の解散請求は、選挙権を有する者の総数の50分の１以上の者の連署をもって行われ、解散の請求に基づく住民投票で３分の２以上の者の同意があったときに議会は解散する。

❷　議会の解散請求を行うことができるのは、当該議会の議員の任期中１回に限られる。

❸　議会の解散請求は、一般選挙のあった日又は解散請求に基づく選挙人の投票のあった日から１年間はすることができない。

❹　議会の解散請求権は、普通地方公共団体においてのみ、住民に認められるものである。

❺　議会の解散請求は、その総数の原則３分の１以上の者の連署をもって、その代表者から、地方公共団体の議会の議長に対して行われ、議会において自主解散しないときは、議長は、解散請求を選挙管理委員会に送付する。

解説

❶　誤り。議会の解散の請求要件は、原則として選挙権者の３分の１以上の連署であり（76条１項）、解散の成立要件は選挙人の投票による過半数の同意である（78条）。

❷　誤り。一定期間の制限はあるが、そのような回数制限はない。

❸　正しい（79条）。議会活動の安定という見地からの制約である。

❹　誤り。特別区及び広域連合等についても認められる（283条１項、291条の６等）。

❺　誤り。議会の解散請求は選挙管理委員会に対し行われ、住民投票に付される（76条１・３項）。

【正解　❸】

長、議員などの解職請求

議員・長のほか主要公務員の解職請求については、地方自治法80条から88条までに定めがある。

解職請求とはいわゆるリコール制であり、憲法15条１項の「公務員を選定し、及びこれを罷免することは、国民固有の権利である」とする規定に基づくものということができる。解職請求の対象となるのは、選挙による職としては、地方公共団体の議会の議員・長、選挙によらない職としては、副知事・副市町村長、指定都市の総合区長、選挙管理委員、監査委員、公安委員会の委員及び教育委員会の委員である（13条２・３項、80条～88条、地方教育行政の組織及び運営に関する法律８条）。

解職請求の手続は次のとおりである。

1 議員・長の解職請求

選挙権を有する者は、その総数の原則３分の１以上の者の連署（議員の場合で選挙区があるときは、その選挙区におけるその総数の３分の１以上の者の連署）をもって、その代表者から、地方公共団体の選挙管理委員会に対し、議会の議員・長の解職の請求をすることができる（13条２項、80条１項、81条１項）。議会の解散請求の場合と同様に、選挙権を有する者の総数が40万を超え80万以下の場合には、要件は40万を超える数×1/6＋40万×1/3、80万を超える場合には、80万を超える数×1/8＋40万×1/6＋40万×1/3になる（２の主要公務員の場合についても同様）。請求があると、選挙管理委員会は選挙人の投票に付し（80条３項、81条２項）、投票の結果過半数の同意があれば議員・長は失職する（83条）。

2 主要公務員の解職請求

選挙権を有する者は、その総数の原則３分の１以上の者の連署をもって、その代表者から、地方公共団体の長に対し、副知事・副市町村長、指定都市の総合区長、選挙管理委員、監査委員、公安委員会の委員、教育委員会の教育長・委員の解職の請求をすることができる（13条２・３項、86条１項）。請求があると、長は議会に付議し（86条３項）、議会で、議員の３分の２以上の者が出席し、その４分の３以上の者の同意があれば、その者は失職する（87条１項）。

なお、就職・解職の日から１年間（議員・長、副知事・副市町村長、指定都市の総合区長）又は６か月間（他の委員）の請求制限がある（84条、88条）。

■関連法条／地方自治法13条 2・3 項、80条〜88条
◉キーワード／直接請求　解職請求　リコール

> 【問題】議員、長等の解職請求に関する次の記述のうち、妥当なものはどれか。

❶　選挙管理委員、監査委員は解職請求の対象となるが、公安委員会の委員は執行機関ではないので、解職請求の対象とならない。

❷　地方公共団体の長の解職の請求は、その就職の日からすることができる。

❸　長の解職請求は、選挙権を有する者の総数の原則 3 分の 1 以上の者の連署をもって、その代表者から議会の議長に対して行い、議会の議員の 3 分の 2 以上の者が出席しその 4 分の 3 以上の者の同意があったときに、長はその職を失う。

❹　長は、選挙管理委員の解職の請求を受理したときは、受理した日から10日以内にこれを選挙管理委員会に付さなければならない。

❺　副知事又は副市町村長の解職請求は、選挙権を有する者の総数の原則 3 分の 1 以上の者の連署をもって、その代表者から長に対して行われ、議会の議員の 3 分の 2 以上の者が出席しその 4 分の 3 以上の者の同意があったときに、副知事又は副市町村長はその職を失う。

解説

❶　誤り。公安委員会は執行機関の 1 つであり、公安委員会の委員も解職請求の対象となる（86条）。

❷　誤り。長及び議会の議員の解職の請求は、その就職の日から 1 年間及び解職の投票の日から 1 年間はすることができない。ただし、無投票当選の場合、この限りでない（84条）。

❸　誤り。請求は選挙管理委員会に対して行い（81条 1 項）、住民投票における過半数の同意によって失職する（83条）。

❹　誤り。長は議会に付議しなければならない。なお、この場合の付議には、期限はない（86条 3 項）。

❺　正しい（86条、87条）。　　　　　　　　　　　　　　【正解　❺】

請願と陳情

　請願とは、国民が国又は地方公共団体の機関に対し、その職務に関する事項につき、希望を陳述することをいう。憲法は、何人も平穏に請願する権利を有するとしてこの権利を保障しており（憲法16条）、これを受け、官公署又は国会に対する請願については、請願法又は国会法でその手続が定められ、地方公共団体の議会に対する請願については、地方自治法でその手続が定められている。

　請願については、国又は地方公共団体の機関はこれを受理し誠実に処理しなければならないが（請願法5条）、これに拘束され、何らかの措置をなす法的義務を負うものではないとされている。

　請願の取扱いは以下のとおりである。

(1)**請願者**　地方公共団体の議会に請願しようとする者は、日本国民たると外国人たるとを問わず、また、当該地方公共団体の住民たると否とを問わない。

(2)**請願事項**　法律上は特に制限はない。

(3)**請願の形式**　請願は文書によって提出しなければならない（請願法2条）。また、会議規則にその様式が定まっている場合は、これによらなければならない。

(4)**請願の手続**　議会に請願をするには、議員の紹介が必要である（124条）。

(5)**請願の処理**　請願は、その形式、手続が整っていれば、議会の開会中、閉会中を問わず、議長は必ず受理しなければならない。受理された請願は一般に委員会に付託され、審議を経て、採択又は不採択のいずれかに議会の意思が決定されるが、採択するかどうかは全く議会の自由である。請願の趣旨には賛成であるが、内容の一部の実現が不可能である場合には、趣旨採択とされることがある。議会は、その採択した請願で当該地方公共団体の長その他の執行機関において措置することが適当と認めるものは、これらの者にこれを送付し、かつ、その請願の処理の経過及び結果の報告を請求することができる（125条）。

　なお、陳情は、請願と同様、国又は地方公共団体の機関に対し希望を陳述することであるが、請願の要件である議員の紹介を欠くものである。これは、請願ではないので、請願権行使としての法的保護は受けない。

■関連法条／憲法16条　地方自治法124条、125条　請願法
●キーワード／請願　陳情

【問題】請願に関する次の記述のうち、妥当でないものはどれか。

❶　請願については国又は地方公共団体の機関はこれを受理し誠実に処理しなければならないが、受理したからといって、何らかの措置をなす法的義務を負うものではないとされている。

❷　陳情は、請願と同様、国又は地方公共団体の機関に対し希望を陳述することであり、議会の審議の対象ともなりうるものであるが、請願の要件である議員の紹介を欠くものであることから、請願権行使としての法的保護は受けない。

❸　普通地方公共団体の長又は議員の辞職の請願については、住民としても選挙結果に責任をもつべきだから、長又は議員の選挙があった日から１年間は、これをすることができない。

❹　請願権は、参政権の１つとしての性格も有するが、現行制度上請願主体に制限はないから、選挙権のない者も請願することができる。

❺　地方議会に対する請願については、議長は、その内容が明らかに当該地方公共団体の事務に関する事項でないと認められる請願であっても、それを受理しなければならない。

解説

❶　正しい（請願法５条）。

❷　正しい。なお、陳情も委員会の審査事項とされる「請願等」に含まれるものとされている（109条２項等）。

❸　誤り。請願に時期的な制限はない。直接請求との違いに注意。

❹　正しい。何人も請願をなしうる（憲法16条）。

❺　正しい。請願は、憲法及び法律に規定された住民の権利であるから、たとえ請願書の内容が明らかに権限外事項と認められても、手続要件を満たしている以上、議長は受理を拒否できない。

【正解】　❸

住民の活動組織

　最近、地方行政を進める上で、住民とのパートナーシップの重要性が強調されるようになっており、また、住民自身が地域の活性化のために積極的な役割を果たすことが求められるようになっている。住民の行政活動への関わり方は様々だが、そのための活動組織としては次のものがある。

1　地縁による団体

　地縁による団体は、いわゆる自治会、町内会などの町又は字の区域その他市町村内の一定の区域に住所を有する者の地縁に基づいて形成された団体のことを指し、住民の自主的な意思に基づき、広範かつ多岐にわたる地域的な共同活動を行っており、良好な地域社会の維持及び形成のために大きな役割を果たしている。

　地方自治法は、地縁による団体がその団体名義で不動産登記ができないことなどによるトラブルを防止し、その活動がしやすくなるよう、地縁による団体が地域的な共同活動を円滑に行うため市町村長から認可を受けたときは、その規約に定める目的の範囲内において、権利を有し、義務を負うとし、地縁による団体に対し権利能力を取得するみちを開いている（260条の2）。

　なお、認可を受けた地縁による団体（認可地縁団体）については、その自主性・民主性が確保されるよう、①正当な理由がない限りその区域に住所を有する個人の加入を拒んではならない、②民主的な運営の下に自主的に活動し、構成員に対し不当な差別的取扱いをしてはならない、③特定の政党のために利用してはならない、④公共団体その他の行政組織とすることを意味するものと解釈してはならないとしている。

2　特定非営利活動法人

　住民の活動組織として重要な位置を占めているNPO（非営利組織）は、平成10年の特定非営利活動促進法の制定によって法人格が付与されるみちが開かれ、税制上の対応もなされるなど、その基盤が整備された。同法では、特定非営利活動を、保健・医療・福祉の増進、社会教育の推進、まちづくりの推進、文化・芸術・スポーツの振興、環境保全、災害時の支援、地域安全活動、人権擁護、国際協力、男女共同参画などを行う活動とし、不特定多数の者の利益の増進に寄与することを目的とするものとしている。

■関連法条／地方自治法260条の２　特定非営利活動促進法
◉キーワード／住民自治　パートナーシップ　協働　地縁による団体　特定非営利活動法人（NPO）　コミュニティ

【問題】住民の活動組織に関する次の記述のうち、妥当なものはどれか。

❶　地縁による団体は、その団体名義では不動産登記ができない。

❷　地縁による団体は、町又は字の区域その他市町村内の一定の区域に住所を有する者の地縁に基づいて形成された団体であればよく、特定の政党のために活動することも許容される。

❸　地縁による団体は、都道府県知事から認可を受けたときは、その規約に定める目的の範囲内において、権利能力を有することになる。

❹　特定非営利活動を行っている団体は、営利を目的としない、社員の資格に不当な条件を付けない、宗教活動や政治活動を行うことを目的としない等の法律で定める要件を満たした場合に、法人格が付与される。

❺　NPOの法人格の付与については認可主義が採用されており、そのNPOの主な活動拠点である市町村長がその所轄庁とされている。

解説

❶　誤り。地縁による団体がその団体名義で不動産登記ができないことによるトラブルを防止し、その活動をしやすくするため、地方自治法において、市町村長から認可を受けた場合には地縁による団体が権利能力を取得できるとの規定が設けられている（260条の２）。

❷　誤り。地縁による団体については地方自治法260条の２第２項に定める要件を満たす必要がある。また、特定の政党のために利用することは許されないなどの制約がある（260条の２第９項）。

❸　誤り。地縁による団体の認可は市町村長が行う（260条の２第１項）。

❹　正しい（特定非営利活動促進法２条２項）。

❺　誤り。認可の所轄庁については、その主たる事務所が所在する都道府県の知事とされ、その事務所が１つの指定都市のみに所在する場合には指定都市の長とされている。

【正解　❹】

公の施設の意義

　公の施設とは、住民の福祉を増進する目的をもってその利用に供するための施設をいう（244条1項）。学校、図書館、公民館、水道等がその例である。

　「公の施設」は、地方自治法に特有の概念であり、学問上の概念である「営造物」や「公企業」が実定法上の概念として明確ではなかったことから、地方自治法の改正に当たり導入されたものである。

　公の施設の特色を挙げれば、次のとおりである。

(1)住民の利用に供するための施設

　地方公共団体が直接使用する庁舎、利用者が限定される純然たる試験研究機関、特定の人を収容する救護施設等は公の施設ではない。

(2)地方公共団体が当該地方公共団体の住民の利用に供するために設ける施設

　人々の利用に供するために設けられる施設であっても、その地方公共団体の区域内に住所を有する者の利用に供しないものは公の施設ではない。主として他の地方公共団体の住民の利用に供するため設けられた観光ホテルや物品陳列所等は、公の施設に該当しない場合がありうる。

(3)住民の福祉を増進する目的で設置される施設

　競輪場、競馬場、オートレース場のように財政上の必要から設けられる施設や、留置施設のように社会公共の秩序を維持するために設けられる施設は公の施設ではない。

(4)物的施設を中心とした概念

　人的要素は必ずしも必要ではなく、道路、墓地のように物的施設のみからなる公の施設はあるが、人的手段のみからなる公の施設はない。

(5)当該地方公共団体が設ける施設

　(1)から(4)までの要件を具備するものであっても、国その他地方公共団体以外の公共団体が設置するものは公の施設ではない。

　公の施設の設置に当たって、地方公共団体はその公の施設について何らかの権原を取得している必要があるが、この点、必ずしも当該施設の所有権を有している必要はなく、賃貸借、使用貸借など所有権以外の権原で、その公の施設を住民に利用させることが可能であれば足りる。

■関連法条／地方自治法244条～244条の4
●キーワード／公の施設

【問題】 公の施設に関する次の記述のうち、妥当なものはどれか。

❶ 地方公共団体が公の施設を設けるに当たっては、当該地方公共団体は、必ずしも当該施設の所有権を有している必要はなく、賃貸借等の権原を有していれば足りる。

❷ 公の施設は、学校や図書館、公会堂など住民が利用する建築物のことをいい、上下水道や道路は、公の施設には当たらない。

❸ 庁舎、議事堂などの公用財産も、公の施設に含まれる。

❹ 老人福祉施設、障害者支援施設等の社会福祉施設は、地方公共団体の高齢者、障害者等の利用に供する施設であり、住民全部の利用に供するものではないから、公の施設とはいえない。

❺ 公の施設には、地方公共団体が、住民の福祉を目的とするものだけでなく、財政収入の増進等を目的として住民の利用に供するために設ける施設も含まれる。

解説

❶ 正しい。必ずしも地方公共団体がその施設の所有権を有している必要はなく、賃貸借、使用貸借等の権原を有していれば足りるとされる。

❷ 誤り。公の施設とは、住民の福祉を増進する目的をもってその利用に供するための施設であればよく、上下水道や道路も公の施設である。

❸ 誤り。公の施設は、住民の利用に供するための施設である。地方公共団体が直接使用する庁舎等は公の施設ではない。

❹ 誤り。公の施設は、当該地方公共団体の住民の利用に供するための施設であるが、合理的な一定の範囲内の住民が利用するものであっても差し支えなく、高齢者、障害者等のみが利用するものでもこれに該当する。

❺ 誤り。住民の福祉を増進する目的をもって設けられる施設をいい、競輪場、競馬場、オートレース場のように財政上の必要から設けられる施設は、公の施設ではない。

【正解 ❶】

公の施設の設置・管理

1　公の施設の設置

　公の施設の設置とその管理に関する事項は、法律またはこれに基づく政令に特別の定めがある場合を除くほか、条例で定めなければならない（244条の2第1項）。公の施設が住民の日常生活と深く関わっているため、利用の許可やその取消し、使用料の額とその徴収方法等の事項は、条例で定めることとしているものである。公の施設は、当該地方公共団体の区域外においても、関係地方公共団体との協議により設置できる。また、地方公共団体は、他の地方公共団体と協議して、他の地方公共団体の公の施設を自己の住民の利用に供させることができる（244条の3）。

2　公の施設の管理

　地方公共団体は、公の施設を自ら管理するほか、その設置の目的を効果的に達成するために必要があると認めるときは、条例の定めるところにより、その管理を法人その他の団体でその地方公共団体が指定するもの（指定管理者）に行わせることができる（244条の2第3項）。指定の手続、指定管理者が行う管理の基準等は条例で定められるほか、個人情報保護など管理業務の詳細については別途協議により協定等が結ばれる。指定管理者の指定についてはあらかじめ議会の議決を経ることが必要である。また、地方公共団体は、適当と認めるときは、指定管理者に公の施設の利用に係る料金を指定管理者の収入として収受させることができ、その場合の利用料金は、公益上必要がある場合を除き、条例の定めるところにより、あらかじめ地方公共団体の承認を受けて指定管理者が定めるものとされている。

　指定管理者の制度は、公の施設の管理権限を指定管理者に委任して代行させるものであり、指定管理者は、処分に該当する使用許可を行うこともできるが、その範囲は管理的事務に限られ、使用料の強制徴収、過料の賦課徴収などのような権力的色彩の強い事務を行わせることはできない。なお、その管理の適正を期すため、指定管理者は、毎年度終了後、事業報告書の作成と地方公共団体への提出が義務づけられる一方、長や委員会には、指定管理者に対する報告徴収権・実地調査権・指示権のほか、その指示に従わないときや指定管理者による管理の継続が適当でないと認める場合の指定の取消権・管理業務の全部または一部の停止命令権が与えられている。

■関連法条／地方自治法244条～244条の4
◉キーワード／公の施設　指定管理者

> 【問題】公の施設の設置および管理に関する次の記述のうち、妥当なものはどれか。

❶　地方公共団体は、条例の定めるところにより、法人その他の団体または個人で公の施設の管理を適切に行うことができる者を指定管理者に指定し、その管理を行わせることができる。

❷　公の施設の設置およびその管理に関する事項は、条例だけでなく、法律またはこれに基づく政令でも定められている。

❸　地方公共団体から公の施設の管理を委ねられた指定管理者は、使用の許可の権限をもつほか、使用料の強制徴収を行うこともできる。

❹　公の施設の利用料金の収受を指定管理者に行わせる場合でも、その収受した利用料金について、その指定管理者の収入とさせることはできない。

❺　条例で定める重要な公の施設の廃止や長期かつ独占的な利用については、議会において出席議員の3分の2以上の者の同意が必要である。

解説

❶　誤り。指定管理者は、法人その他の団体とされており、個人を指定することは認められていない（244条の2第3項）。

❷　正しい。地方自治法244条の2第1項。例えば、道路法、河川法、学校教育法、図書館法などがその例である。

❸　誤り。委任することができる範囲は管理的事務に限られ、使用料の強制徴収のような権力的色彩の強い事務は委任できないと解されている。

❹　誤り。地方公共団体は、適当と認めるときは、公の施設の指定管理者に公の施設の利用に係る料金を当該指定管理者の収入として収受させることができる（244条の2第8項）。

❺　誤り。議会において特別多数が必要とされているのは、条例で定める重要な公の施設のうち条例で定める特に重要なものについての廃止と長期の独占的利用である（244条の2第2項）。

【正解　❷】

公の施設の利用

　地方公共団体は、正当な理由がない限り、住民が公の施設を利用することを拒んではならないものとされている（244条2項）。もっとも、逆にいえば正当な理由がある場合には利用を拒否することも可能であり、たとえば、利用者が予定人員を超える場合、他の利用者に著しい迷惑を及ぼすことが明白な場合などが、正当な理由がある場合に該当することになりうる。

　集会の用に供する公の施設については、集会の自由との関係から、不相当な事由がないのに利用を拒否しうるのは、利用の希望が競合する場合のほか、施設を利用させることにより他の人権が侵害され、公共の福祉が損なわれる危険がある場合に限られ、その場合、集会の自由の重要性と、これを妨害しようとする敵意ある聴衆などにより侵害されうる他の人権の内容や侵害の発生の危険性の程度等を較量して決められるべきとされる。

　また、地方公共団体は、住民が公の施設を利用することについて、不当な差別的取扱いをしてはならない（244条3項）。不当な差別的取扱いとは、利用者の人種、信条、性別、身分等により、利用の便宜・制限を図ったり、使用料に差を設けたりすることをいう。ただし、その地方公共団体の住民以外の利用者から住民よりも高額の使用料を徴収することは、これに反しない。なお、条例で定める重要な公の施設のうち条例で定める特に重要なものにつき条例で定める長期かつ独占的な利用をさせようとするときは、議会において出席議員の3分の2以上の者の同意が必要とされる。

　このほか、地方公共団体は、公の施設の利用に関して、条例で5万円以下の過料を科する規定を設けることが認められている。

　他方、公の施設の利用に関する処分についての不服申立ては、地方公共団体の機関がした公の施設を利用する権利に関する処分については、すべてその地方公共団体の長に対して審査請求をすべきものとされている。その場合に、長は、議会に諮問して決定しなければならず、議会は20日以内に意見を述べるものとされている。処分の取消しの訴えについては、処分または裁決をした行政庁の所属する地方公共団体を被告として提起されるが、指定管理者が行った処分については指定管理者が取消訴訟の被告になり、また、指定管理者の違法行為や施設の瑕疵により利用者に生じた損害の国家賠償については、地方公共団体が賠償責任を負う。

■関連法条／地方自治法244条～244条の4

◉キーワード／公の施設　利用拒否　差別的取扱いの禁止　集会の自由

> 【問題】公の施設の設置及び管理に関する次の記述のうち、妥当なものはどれか。

❶　公の施設の利用については、差別的取扱いが禁止されており、地方公共団体は、住民以外の者の利用に対し、住民よりも高い使用料を徴収することはできないと解されている。

❷　地方公共団体は、その者に公の施設を利用させると他の利用者に著しく迷惑を及ぼす危険があることが明白である場合であっても、その住民である以上は、原則としてこれを拒否することができない。

❸　集会の目的や主催者の思想・信条等に反対する第三者による妨害が予想される場合に利用を制限するには、集会の自由の保障の重要性よりも、その開催により人の生命、身体又は財産が侵害され公共の安全が損なわれる危険の回避・防止の必要性が優越することが必要である。

❹　集会のための利用を拒否する場合に予想される危険性については、明らかな差し迫った危険の発生が具体的に予見されることが必要であるが、その発生が許可権者の主観的判断により予測されることでも足りる。

❺　妨害のおそれを理由に公の施設の利用を拒むことができるのは、混乱の防止が十分にできないなど特別な事情がある場合に限られるが、その場合には警察の警備等の導入を前提とする必要はない。

解説

❶　誤り。地方自治法244条3項は、他の地方公共団体の住民に対してまで差異ある取扱いを禁止する趣旨ではないと解されている。

❷　誤り。設問の場合は、正当な理由があるとして利用拒否は可能といえる。

❸　正しい。泉佐野市民会館事件・最高裁平成7年3月7日判決参照。

❹　誤り。上記❸の最高裁判決は、後半部分につき、客観的な事実に照らして具体的に明らかに予測される場合でなければならないとする。

❺　誤り。上尾市福祉会館事件・最高裁平成8年3月15日判決は、警察の警備等によってもなお混乱を防止することができないなど特別な事情が必要であるとしている。　　　　　　　　　　　　【正解　❸】

判例 チェック

（住所について）

・大学生公選法住所事件：最高裁昭和29年10月20日判決民集 8 巻10号1907頁

・大阪ホームレス訴訟：最高裁平成20年10月 3 日判決判時2026号11頁

（転入届と市町村長の審査について）

・アレフ信者転入届不受理事件：最高裁平成 3 年 3 月 8 日判決判時1831号94頁

（住基ネット・個人情報をみだりに開示公表されない自由について）

・住基ネット差止大阪訴訟：最高裁平成20年 3 月 6 日判決民集62巻 3 号665頁

（住民の公道使用権について）

・村道共用妨害排除請求事件：最高裁昭和39年 1 月16日判決民集18巻 1 号 1 頁

（町名に関する住民の利益）

・豊島区町名変更事件：最高裁昭和48年 1 月19日判決民集27巻 1 号 1 頁

（自治会について）

・自治会費未払退会事件：最高裁平成17年 4 月26日判決判時1897号10頁

・自治会会費増額議決無効事件：大阪高裁平成19年 8 月24日判決判時1992号72頁

（投票価値の平等について）

・東京都議会議員選挙無効確認請求事件：最高裁昭和59年 5 月17日判決民集38巻 7 号721頁

（定住外国人の地方選挙権について）

・定住外国人選挙権訴訟：最高裁平成 7 年 2 月28日判決民集49巻 2 号639頁

（選挙権を失った者の直接請求の署名について）

・解散請求署名簿決定取消請求事件：最高裁昭和29年 2 月26日判決民集 8 巻 2 号579頁

（直接請求の署名の証明の際の選挙管理委員会の審査の範囲について）

・解職請求署名異議請求事件：最高裁昭和28年12月 4 日判決民集 7 巻12号1369頁

（直接請求に係る投票に関する公選法の選挙規定の準用について）

・東洋町議員解職請求署名無効事件：最高裁平成21年11月18日判決民集63巻 9 号2033頁

（条例による住民投票の拘束力について）

・名護市住民投票事件：那覇地裁平成12年 5 月 9 日判決判時1746号122頁

（公の施設の意義と利用について）

・東京高判平成13年 3 月27日判時1786号62頁

・泉佐野市民会館事件：最高裁平成 7 年 3 月 7 日判決民集49巻 3 号687頁

・上尾市福祉会館事件：最高裁平成 8 年 3 月15日判決民集50巻 3 号549頁

（公の施設と差別的取扱いについて）

・高根町別荘水道料金事件：最高裁平成18年 7 月14日判決民集60巻 6 号2369頁

新要点演習
地方自治法

第4章

条例と規則

（概観）

　地方公共団体が自主法を制定する権能は、憲法によって保障されている
ものであり、自主法の制定には国の法令による委任など必要なく、地方公
共団体は、その独自の権能に基づき、国の法令とは独立・別個に、それを
制定することができる。憲法が自主法として規定する「条例」の範囲をめ
ぐっては諸説のあるところであるが、一般的には条例、規則などその形式
のいかんを問わず地方公共団体の自治立法を意味するものと解されている。
この章では、条例と規則の意義や位置づけ、所管、制定手続、国の法令と
の関係、都道府県条例と市町村条例の関係等について取り上げる。なお、
本書において「条例」という場合には、特に断りのない限り、地方公共団
体の議会が制定する条例を指す。

1　概説

　地方公共団体は自主法を制定する権能を有するが、そのような自主法と
しては、地方公共団体の議会により定立される条例、地方公共団体の長に
より定立される規則、長以外の地方公共団体の機関（行政委員会、議会）
により定立される規則その他の規程がある。その中でも、条例は、住民の
代表者たる議員によって構成される議会が定立するもので、国の法律に相
当し、その制定範囲は最も広範にわたる。また、法治主義の原理により、
地方公共団体が、その住民等の権利を制限し、又は義務を課するには、条
例によらなければならないものとされている。

　地方自治法上、地方公共団体は法令の範囲内で条例を制定することがで
きると規定され、その効力は法令に劣る。条例については、憲法が定める
罪刑法定主義、租税法律主義などとの関係で定めることができる内容が問
題となるほか、国の法令との関係では、特に国の法令と同一の目的でそれ
より厳しい規制を行うこと（上乗せ条例）や、国の法令と同一の目的で国
の法令の規制外の事項を規律すること（横出し・裾切り条例）などが認め
られるかどうかが問題となる。また、条例同士の間でも、都道府県条例と
市町村条例が矛盾した場合の調整等の問題がある。

　地方公共団体の長その他の機関が定立する規則については、条例より、
その所管が限定され、効力も劣る。このうち、長の定める規則については、
専属的な所管をもち、各執行機関に共通する事項も規定対象とするもので

あり、条例と規則の関係は、独立命令が認められていない国の法律と命令との関係とは異なる。なお、条例と規則に関しては、それぞれの専属的な所管事項と共管事項とがあるが、共管事項につき両者が競合する場合には条例が優先するものと解されている。

2 条例による行政の重要性

　近年の地方分権改革により地方公共団体の自己決定権が拡大し、それに伴って、条例制定権も拡大し、各地方公共団体において条例による行政が積極的に展開されることが期待されるようになっている。特に、機関委任事務制度の廃止により、地方公共団体の事務についてはすべて条例制定権の対象となりうるようになった。また、国の法令に関する地方公共団体の自主解釈権の拡大と、地方自治法が立法・法令の解釈運用原則として定める国と地方公共団体の役割分担の原則は、国の個別の法令との関係でも条例の制定の余地が拡大する方向で作用することになるものといえる。一方、地方公共団体においては従来から要綱による行政が展開されてきたが、法治主義や民主主義の理念を踏まえるならば、これからは安易に要綱によるのではなく、条例で定めるべき事項についてはきちんと条例によって対応することが求められるようになっているといえよう。

　なお、以上のようなことなどもあって、最近では条例による行政を支えるための「政策法務」が注目され、地方公共団体の中にはそれに意欲的に取り組むところも見られるようになってきている。

3 ポイント

　条例と規則の関係では、条例の意義・位置づけ、条例の所管・効力、条例の制定手続、国の法令との関係、市町村条例と都道府県条例の関係、規則の意義と所管、条例と規則の関係が基本的な学習項目となる。なお、条例の制定において最も問題となる国の法令との関係については、地方自治法は条例の制定に関し「法令に違反しない限りにおいて」とするだけで、具体的な定めをしていないことから、徳島市公安条例事件最高裁判決をはじめとする判例などに特に留意する必要がある。

　このほか、地方行政の現場で多用されている行政機関の内部規定である「要綱」についても、その意義、問題点等を押さえておきたい。

第4章 条例と規則

条例の意義と位置づけ

1 条例の意義

　憲法94条は、「地方公共団体は、…法律の範囲内で条例を制定することができる」と規定し、地方公共団体に、その自治権に基づく自治立法権を認めている。憲法94条を受けて、地方自治法は、議会の議決により制定される「条例」(14条) と長が制定する「規則」(15条) のほか、各種行政委員会の規則 (138条の4第2項) について規定している。自治立法の中でも、議会により制定される条例は、国における法律に相当する重要なものである。住民の権利義務に関わる事項は必ず条例を定めなければならないとされており (14条2項)、条例では、法令に特別の定めがあるもののほか、その違反者に対し2年以下の懲役・禁錮、100万円以下の罰金など又は5万円以下の過料を科す旨の規定を設けることができる (14条3項)。

2 条例の役割

　条例は地方公共団体の活動の根拠となるものであり、地方公共団体の機能の拡大とともにその役割も多様化している。条例が地方自治の実現の手段として果たす役割は高まっており、①住民本位、②先導性、③地域的な問題の地域的な解決、④地域の独自性の発揮、⑥縦割り行政の総合化などの面でその機能を果たすことが期待されている。

3 条例の種類

　条例は様々な観点から分類されているが、条例の内容から分類すると、おおむね次のとおりになろう。

　①権力的事務に関する条例 (ex. 公安条例、公害防止条例、青少年健全育成条例等) なお、権力的事務については、住民等に義務を課し、その権利を制限するものの典型であるので、法令に特別の定めがある場合を除き、必ず条例で定めなければならない (14条2項)。②内部管理に関する条例 (ex. 地方公共団体の事務所の設置変更、支庁、地方事務所、支所・出張所の設置、保健所、警察署その他の行政機関の設置、長の直近下位の内部組織の設置、議会の委員会設置等) ③住民の負担の根拠を定める条例 (ex. 地方税、分担金、使用料、手数料等) ④公の施設の設置管理に関する条例 (ex. 公園、公会堂、図書館等) ⑤その他の条例。

■関連法条／憲法94条　地方自治法14条
◉キーワード／自治立法　条例　条例による行政

> 【問題】条例の意義と位置づけに関する次の記述のうち、妥当なものは
> どれか。

❶　地方公共団体は条例を定めることができるが、その内容については、
法律の範囲内で、かつ、法律により個別的・具体的に委任されているも
のでなければならない。

❷　憲法94条の「法律の範囲内で」とは、法律が認めればという意味であ
るから、立法政策の当否は別として、法律で地方公共団体の条例制定権
を否定することも可能である。

❸　地方公共団体の定める自治立法のうち、刑罰は、条例と地方公共団体
の長が定める規則以外では定められないこととなっている。

❹　地方公共団体が条例で定めることができる刑罰は、罰金刑に限られ、
懲役刑は含まれない。

❺　地方公共団体は、住民の権利義務に関しない事項に関しては、法令が
特に条例で規定すべきものと定めている場合以外は必ずしも条例で規定
することを要しないが、住民の権利義務に関する事項に関しては、法令
に特別の定めがあるものを除き、必ず条例で規定しなければならない。

解説

❶　誤り。「法律の範囲内で」（憲法94条）については正しい。法律の個別
的・具体的な委任は必要がなく、法律と矛盾や抵触がない限りは、条例
を制定することができる。

❷　誤り。「法律の範囲内で」（憲法94条）とは、条例の所管事項・手続を
法律で定めること、条例の効力は法律に劣ることを意味するが、憲法が
保障する地方公共団体の条例制定権を法律で否定することはできない。

❸　誤り。刑罰を設けることができるのは条例のみである。

❹　誤り。２年以下の懲役・禁錮等の刑を定められる（14条３項）。

❺　正しい。住民の権利義務に関する事項は、すべて条例によることとさ
れる（14条２項）。　　　　　　　　　　　　　　　　【正解　❺】

条例の所管と効力

1　条例の所管

　条例は地方公共団体の自主法であり、条例で制定できるのはその地方公共団体の事務に関する事項に限られる（14条1項）。地方公共団体の事務であれば、自治事務のみならず法定受託事務についても条例を制定することができる。

　地方公共団体の組織、事務処理の方法、財政運営などその内部事項のうち多くのものは、地方自治関係法律によって条例で定めることが義務付けられている。また、権力的な性質をもつもので住民等の権利義務に関わる事項については、地方自治法の規定により条例で定めることが義務付けられている。これは、法治主義に基づき住民等の権利義務に関わる事項については議会が制定する法により定められることを求めるものである。このほか、非権力的な性質の事務であっても、公の施設の設置管理などに関する事項など、条例で規定すべきことが義務付けられているものもある。

　他方、条例の所管外の事項としては国の事務がある。この点、地方自治法は、国は①国際社会における国家としての存立に関わる事務、②全国的に統一して定めることが望ましい国民の諸活動・地方自治に関する基本的な準則に関する事務、③全国的な規模で又は全国的な視点に立って行わなければならない施策・事業の実施等を重点的に担うとしているが（1条の2第2項）、何が国の事務であるかについては個別に判断する必要がある。

2　条例の効力

　条例の効力が及ぶのは、その地方公共団体の区域内に限られるのが原則であるが、例外的に、条例が地方公共団体の区域外においてその住民以外の者に対しても適用されることがある。公の施設をその地方公共団体の区域外に設置する場合（244条の3）、地方自治法252条の14の規定による事務の委託の場合等がその例である。

　次に、その地方公共団体の区域内であれば、住民、滞在者を問わずすべての人に効力が及ぶことになる（条例の属地的効力）。ただし、例えば、地方公共団体の区域外で勤務しているその地方公共団体の職員に対しても勤務条件に関する条例が適用されるように、例外的に、区域を越えて属人的に条例が適用される場合もある。

■関連法条／地方自治法14条等

●キーワード／住民等の権利義務に関わる事項　地方公共団体の事務　条例の属地的効力

【問題】条例に関する次の記述のうち、妥当なものはどれか。

---

❶　法定受託事務に関する事項について条例を定めようとするときは、必ずあらかじめ総務大臣と協議しなければならない。

❷　条例で定めなければならない事項は権力的な事務のみであり、非権力的な事務についてはそのような制約は一切ない。

❸　条例の効力が及ぶのはその地方公共団体の区域内に限られるのが原則であり、条例が地方公共団体の区域外においてその住民以外の者に対して適用される余地は全くない。

❹　住民の権利を制限し、義務を課すことを内容とする条例は、その住民にのみ適用され、たとえその区域内にあったとしてもその制定に関与し得ない他の地方公共団体の住民には適用されない。

❺　条例が効力を生じるには、公布され、施行される必要がある。

解説

❶　誤り。そのような規定はなく、自治事務も法定受託事務も地方公共団体の事務であり、それらについて条例で定めることは可能である。

❷　誤り。非権力的な性質の事務であっても、公の施設の設置管理に関する事項（244条等）など条例で規定すべきことが義務付けられているものもある。

❸　誤り。公の施設をその地方公共団体の区域外に設置する場合（244条の3）、地方自治法252条の14の規定による事務の委託の場合等がある。

❹　誤り。条例・規則の効力の及ぶ範囲は、原則として属地主義によることとなり、その区域内にある者であればその住民以外の者にも及ぶ。

❺　正しい。条例の制定改廃の議決があった日から3日以内に長に送付され、長は原則として20日以内に公布する。条例の施行日は、条例で定められるのが一般的であるが、そうでなければ公布の日から起算して10日を経過した日に施行される（16条1〜3項）。　　　　【正解　❺】

条例と国の法令との関係

1　条例と国の法令との関係

　条例は国の法令に違反しない限りにおいて制定することができるが（14条1項）、これについて判例は、「条例が国の法令に違反するかどうかは、両者の対象事項と規定文言を対比するのみでなく、それぞれの趣旨、目的、内容及び効果を比較し、両者の間に矛盾抵触があるかどうかによってこれを決しなければならない」と判示している（徳島市公安条例事件・最高裁昭和50年9月10日判決、最高裁平成25年3月21日判決も同様）。

2　横出し・上乗せ条例

　条例と国の法令との関係は、それぞれの目的・趣旨・内容・効果などを総合的に解釈・比較し、両者の間に矛盾や抵触がないかによって個別の事例ごとに具体的に判断されるものであり、次のように整理されよう。

⑴国の法令が規制していない事項を規律する場合

　その事項を規律する国の法令がない場合には、国の法令との関係は生じず、条例でその事項について規律することは可能であるが、国の法令が存在しないことが、そのような法的規制を行うこと自体が適切でないとの判断に基づく場合などは、条例を定めることはできないと解される。

⑵国の法令と同一の事項をそれとは異なる目的で規律する場合

　国の法令が規制している事項・地域と同一の事項・地域について、その法令とは異なる目的で規制する条例は、国の法令に反するものではないとされている。

⑶国の法令と同一の目的で国の法令の規制範囲外の事項を規律する場合

　横出し条例あるいは裾切り条例として論じられているものである。これらの条例は基本的に国の法令に反するものではないといえるが、その規制内容が国の法令を上回りバランスを欠くようなものについては、許されないと判断されることもある（最高裁昭和53年12月21日判決）。

⑷国の法令と同一の目的でそれよりも厳しい規制を行う場合

　上乗せ条例の問題として論じられているものである。ある事項について上乗せ条例を定めることが可能かどうかについては、国の法令が全国一律に同一内容の規制を施す趣旨かどうか、地域的な規制を認める必要があるかどうかといった点を総合的に勘案して判断されることになる。

■関連法条／憲法94条　地方自治法14条

◉キーワード／上乗せ条例　横出し条例　法律の先占論　ナショナルミニマム　最低基準法律　規制限度法律

> 【問題】条例と国の法令との関係に関する次の記述のうち、妥当でないものはどれか。

❶　条例が国の法令に反するかどうかの判断について、判例は、両者の対象事項と規定文言を対比するのみでなく、それぞれの趣旨、目的、内容及び効果を比較し、両者の間に矛盾抵触があるかどうかによってこれを決しなければならないとしている。

❷　国の法令と同一の目的でそれよりも厳しい規制を行う条例については、国の法令が全国的な最低の基準である場合や国の法令が全国一律に同一内容の規制を施す趣旨ではない場合は、法令に反しないと解される。

❸　ある事項を規律する国の法令がない場合には、国の法令との関係は生じないため、条例でその事項について規律することに何らの制約もないと解される。

❹　国の法令と同一の目的で国の法令の規制範囲外の事項を条例で規律することは基本的に許容されると解されるが、その規制内容が国の法令を上回りバランスを欠くようなものである場合には、そのような規制は許されないと判断されることもある。

❺　国の法令が規制する事項と同一の事項につき条例でその法令とは異なる目的で規制しても、そのことをもって法令に反するとはいえない。

解説

❶　正しい（最高裁昭和50年9月10日判決）。

❷　正しい（最高裁昭和50年9月10日判決）。

❸　誤り。国の法令が存在しないことが、そのような法的規制を行うこと自体が適切でないとの判断に基づくものである場合などには、条例を定めることはできないと解される。

❹　正しい（最高裁昭和53年12月21日判決）。

❺　正しい。目的が異なる場合には条例の制定は可能。　　【正解　❸】

市町村条例と都道府県条例

1 市町村条例と都道府県条例との関係

　地方自治法上、市町村と都道府県は対等な地方公共団体であり、上下関係はない。市町村と都道府県の事務配分については、まず、第一義的には基礎的な地方公共団体である市町村に配分されることになり（市町村優先の原則）、都道府県の事務は地方自治法2条2項の事務のうち、広域事務、連絡調整事務及び補完事務に限定されている（2条5項）。また、都道府県及び市町村は、その事務を処理するに当たっては相互に競合しないようにしなければならない（2条6項）。したがって、地方自治法が定める事務配分の領域にとどまる限りにおいて市町村条例と都道府県条例とが競合することはなく、その間に上下関係を生じることもないといえる。

2 市町村条例と都道府県条例との調整

　市町村条例と都道府県条例との間で調整が必要となった場合、市町村及び特別区は、都道府県の条例に違反して事務を処理してはならないこととされ（2条16項）、これに違反して行った市町村及び特別区の行為は無効となる（2条17項）。市町村条例と都道府県条例との矛盾抵触や競合が生じるのは、都道府県条例が義務を課し、又は権利を制限する条例である場合などが考えられるが、このような場合には、条例に関しては都道府県優位の原則が働くものと解されている。かつては、都道府県が市町村の行政事務に関し条例を定めた場合に市町村の条例がこれに違反するときは無効とする「統制条例」の制度があったが、地方分権一括法による地方自治法改正により削除された。

3 条例による事務処理の特例制度

　地方自治法は、「都道府県は、都道府県知事の権限に属する事務の一部を、条例の定めるところにより、市町村が処理することとすることができる」と規定し（252条の17の2第1項）、地域の実情に応じた柔軟な市町村への事務配分を可能としている。この規定に基づいて都道府県の事務の一部を市町村にゆだねた場合、市町村が処理することとされた当該事務に関する都道府県の条例は、市町村に関する規定として市町村に適用される（252条の17の3第1項）。また、その事務は市町村の事務となるのであるから、必要に応じて市町村が条例を制定することもできると考えられる。

■関連法条／地方自治法 2 条 5 ・ 6 ・16・17項、252条の17の 2 ～252条の
17の 4

◉キーワード／市町村条例　都道府県条例　条例による事務処理の特例

> 【問題】市町村条例と都道府県条例との関係に関する次の記述のうち、
> 妥当なものはどれか。

❶　都道府県は市町村に優越する権限をもつ地方公共団体であり、都道府
県が市町村の事務の処理に関して条例を定めることは、特段の制約もな
く認められている。

❷　都道府県が市町村の事務に関し条例を定めた場合に、市町村の条例が
これに違反するときは、その条例は無効となる。

❸　都道府県が処理する事務については、条例により、地域の実情に応じ
て市町村へ事務配分ができるが、その事務を市町村へ分配した時点でそ
の事務に係る都道府県の条例は無効となる。

❹　市町村条例と都道府県条例との間で調整が必要となった場合、市町村
は、都道府県の条例に違反して事務を処理してはならないこととされて
おり、これに違反した市町村の条例は無効となる。

❺　都道府県条例では罰則として懲役・禁錮を規定することができるが、
市町村条例では罰則としては罰金しか規定することができない。

解説

❶　誤り。都道府県と市町村とは対等な地方公共団体であり、都道府県と
市町村は、その事務を処理するに当たっては相互に競合しないようにす
るものとされている（ 2 条 6 項）。

❷　誤り。いわゆる「統制条例」の制度であるが、この制度は既に廃止さ
れ、都道府県にはそのような権限はない。

❸　誤り。市町村が処理することとされた事務に関する都道府県の条例の
規定は、市町村に関する規定として市町村に適用されることになる（252
条の17の 3 第 1 項）。

❹　正しい（ 2 条16・17項）。

❺　誤り。そのような相違はない（14条 3 項）。　　　　　　　【正解　❹】

条例の制定手続

1 条例案の議会への提案

　条例案の議会への提案権は、原則として、地方公共団体の長と議会の議員や委員会がこれを有しているが（149条1号、112条1項、109条6項等）、長の内部組織の設置や議会の委員会の設置などのように、提案権がいずれかに専属するものもある。議員が発議する場合には、議員定数の12分の1以上の賛成が必要である（112条2項）。なお、条例の内容によっては、条例を定めるに当たり都道府県との協議などが必要とされているものもある（3条4項等）。

2 条例案の議会での議決

　条例案は、議会で審議された上で議決されることになるが、その場合には原則として出席議員の過半数により決する（116条）。ただし、地方公共団体の事務所の位置を定める条例については、出席議員の3分の2以上の同意が必要とされている（4条3項）。

　条例の制定又は改廃について異議がある場合、長は10日以内に理由を示して再議に付すことができ（176条1項）、出席議員の3分の2以上の同意により先の議決と同じ議決をしたときはその議決が確定するが、3分の2以上の同意が得られないときは不成立となる（176条2・3項）。

　議会が成立しないとき、議会を招集する時間的な余裕がないときなどは、長はその議決すべき事件を処分すること（専決処分）ができる（179条）。この場合は、事後に議会に報告し、その承認を求めなければならず、条例の制定改廃に関する専決処分について承認を求める議案が否決されたときは、長は、速やかに必要と認める措置を講ずるとともに、その旨を議会に報告しなければならない。

3 条例の公布・施行

　条例は、公布により効力を生じる。①議会で議決された条例は、3日以内に地方公共団体の長に送付され、再議その他の措置が講じられた場合を除き、長は、20日以内に公布しなければならない（16条1・2項）。②公布された条例は、その条例に特別の定めがある場合を除き、公布の日から起算して10日を経過した日から施行する（16条3項）。

■関連法条／地方自治法16条、109条、112条、116条、149条、176条、179
条等

◉キーワード／議案の提出権　議会の審議・議決　再議　専決処分　公布

> 【問題】条例の制定手続に関する次の記述のうち、妥当でないものはど
> れか。

❶　条例は、公布により効力を生じるが、長は、議長から条例の送付を受
　けた日から原則として20日以内に公布しなければならず、仮にその後に
　公布しても条例の効力は生じない。

❷　条例案の議会への提案権は、原則として、地方公共団体の長と議会の
　議員や委員会がこれを有している。

❸　議員が発議する場合には、単独ではできず、議員定数の12分の１以上
　の賛成が必要である。

❹　条例は基本的には議会の議決によって決するものであるが、議会が成
　立しないとき、議会を招集する時間的な余裕がないときなどは、長はそ
　の議決すべき事件を処分することができる。

❺　条例の内容によっては、長にしか提案権のない場合もある。

解説

❶　誤り。20日以内に公布されなくても、長の政治的責任は別として、条
　例自身の効力には影響がない。その後公布されたときに効力を生じる。

❷　正しい（149条１号、112条１項、109条６項等）。なお、住民による条
　例の制定改廃の直接請求の制度があるが、これについて実質的に住民が
　提案権をもっているとみることもできる。

❸　正しい（112条２項）。

❹　正しい。地方公共団体の長の専決処分による場合であり、条例につい
　ても専決処分を行うことが可能である（179条）。

❺　正しい。例えば、長の内部組織について定める条例については長のみ
　に提案権がある。また、逆に議会の委員会設置に関する条例のように議
　員や委員会にしか提案権がない場合もある。

【正解　❶】

規則の意義と所管

1 規則の意義

　地方公共団体の長は、法令に違反しない限り、その権限に属する事務に関し、規則を制定することができる（15条1項）。規則は、条例と同様に自治立法の1つであり、憲法94条が保障する地方公共団体の条例制定権には、この規則制定権も含まれるというのが多数説の考えである。長の定める規則は、地方公共団体の住民が直接選挙により選任する長によって定められるものであり、基本的には、国の法律と命令のように規則が条例に従属する関係ではなく、それぞれ独自の管轄領域をもつ対等なものと考えられている。長以外の執行機関（議会、議長及び各種行政委員会）の定める規則は、地方自治法上、長の定める規則とは区別され（138条の4第2項）、その効力は条例や長の定める規則に劣る。なお、長の定める規則では刑罰を科すことはできないが、行政上の秩序罰としての過料（5万円以下）は設けることができる（15条2項）。

2 規則の所管

　地方自治法14条2項では、義務を課し、又は権利を制限するには、国の法令に特別の定めがある場合を除くほか、条例によらなければならないとされており、地方公共団体の規則では、委任がある場合を除き、住民に義務を課し又は住民の権利を制限する規定を置くことはできない。法令上条例事項とも規則事項ともされていない場合については、次のような考え方がある。

①条例の規定事項は議会の議決事項に限られそれ以外には及ばず、他は規則事項であるとするもの

②法令により明示・区分されていない事項はすべて条例事項とするもの

③法令により明示・区分されていない事項はすべて条例と規則の共管事項であるとするもの

④法令により明示・区分されていない事項のうち行政の一般的な基準、基本的な事項は原則として条例事項とし、その他の個別的・具体的な事項は条例と規則の共管事項であるとするもの

　このほか、住民の権利義務に関係する事項を条例事項、それ以外を共管事項とする考え方などもあるが、最近では④が有力となっている。

■関連法条／地方自治法15条、16条 5 項、120条、138条の 4 第 2 項
◉キーワード／規則　地方公共団体の規則　会議規則　行政委員会規則

> 【問題】規則の意義と所管に関する次の記述のうち、妥当なものはどれか。

❶　普通地方公共団体の長は、法定受託事務で特定の者のためにするものについて手数料を徴収する場合には、当該手数料に関する事項について、規則で定めなければならない。

❷　普通地方公共団体の長が制定する規則は、当該地方公共団体の内部組織や公の営造物に関する規則に限られる。

❸　長は、法令に特別の定めがある場合を除き、規則中に、規則に違反した者に対し、罰金又は過料を科す旨の規定を設けることができる。

❹　規則は、条例の委任を受けた場合又は条例を施行するために必要な場合に制定されるものであり、条例に根拠をもたない事項については制定することができない。

❺　規則の形式的効力は、国の法律に劣り、同一地方公共団体において条例と所管事項が競合するときは条例に劣る。

解説

❶　誤り。自治事務に関するものであろうと法定受託事務に関するものであろうと、手数料に関する事項は、すべて条例で定めることとされている（228条 1 項）。

❷　誤り。長の権限に属する事務である限り、住民の権利義務に関する事項など法令により条例で定めることとされている事項を除き、規則を制定することができる。

❸　誤り。行政上の秩序罰たる過料を科すことができるのみである（15条 2 項）。罰金は刑罰であり、規則で科すことはできない。

❹　誤り。規則は、法令に違反せず、長の権限に属する事務に関するものであれば、制定できる。条例の委任を受け、又は条例を施行するために制定されるものに限らない。この点、法律と命令の関係とは異なる。

❺　正しい。制定手続等からみて条例に劣ると考えられる。

【正解　❺】

条例と規則との関係

1 条例と規則との関係

(1)条例の専管事項又は規則の専管事項

　条例と規則はそれぞれ専属的な所管事項を有し、それぞれがその範囲内にとどまる限りにおいては、条例と規則の効力の関係について問題となることはない。仮に、条例の専属的な所管事項について規則を制定し、あるいは規則の専属的な所管事項について条例を制定した場合には、それは無効となると考えられる。

(2)条例と規則の共管事項

　条例と規則の共管事項については、両者の競合が問題となる。その際に、条例の内容と規則の内容が相互に矛盾している場合には、条例は議会が定める自主法であり、また、再議制度などその議決については、地方公共団体の長も関与する機会が認められていることなどにかんがみると、条例が規則に優先するものと考えられる。したがって、ある共管事項について規則が制定されている場合において、条例が後から制定されたときであっても、条例が優先的に適用されることになり、逆に、条例が定める事項について規則で規定することは基本的にできず、条例に抵触する規則の規定は、その限りにおいて効力を失うことになると解される。

2 条例による規則への委任

　国の法律と政省令などの命令との関係については、原則として法律に基づかない命令は認められず、命令は法律に基づいて委任された事項又はその実施に関する細目を定める事項を規定するにすぎないが、条例と規則との関係は、国の法律と命令との関係とは本質的に異なるものであることは、88ページの規則の意義のところで既に述べた。

　しかし、条例で具体的な定めを規則に委任し、あるいは条例の執行のためその細目を規則で定めた場合の条例と規則との関係は、国の法律と命令との関係とほぼ同様の関係となると解される。その場合には、規則が条例の委任の範囲を超え、あるいは条例の規定に反することはできないと考えられる。また、条例の委任を受けて規則で刑罰に関する規定を設けることは許されないと考えられる。

■関連法条／地方自治法14条、15条、138条の４第２項

◉キーワード／条例　規則　専管事項　共管事項　条例による規則への委任

【問題】条例と規則との関係に関する次の記述のうち、妥当でないものはどれか。

❶　条例で具体的な定めを規則に委任し、あるいは条例の執行のためその細目を規則で定めた場合には、規則は条例に従属する関係となると解される。

❷　条例の専属的な所管事項としては、権力的な性質をもつもので住民等の権利義務に関わる事項などが挙げられるが、非権力的な性質をもつ事務であっても専属的な所管事項になるものもある。

❸　地方公共団体の議会の会議規則は議会が定めることとされているが、これは地方自治法14条にいうところの条例には含まれない。

❹　条例の専属的な所管事項について規則を制定するとその規則は無効だが、規則の専属的な所管事項について条例を制定した場合には、条例は常に規則に優先するため、その条例は無効とはならない。

❺　規則では、条例からの委任があっても新たに刑罰を設けることはできないと解される。

解説

❶　正しい。この場合の関係は、国の法律と命令との関係と同様と考えられる。

❷　正しい。例えば、公の施設に関する条例（244条の２第１項）などがある。

❸　正しい。会議規則とは、議会の内部的事項に関し議会が定める規則であり、狭義の条例には含まれないと解される。

❹　誤り。規則の専属的な所管事項について条例を制定した場合には、条例は無効となると考えられる。

❺　正しい。

【正解　❹】

判例チェック

（条例制定権について）

・大阪市売春勧誘行為等取締条例事件：最高裁昭和37年 5 月30日判決刑集16巻 5 号577頁

（条例と法の下の平等について）

・東京都売春取締条例事件：最高裁昭和33年10月15日判決刑集12巻14号3305頁

（条例の属地的効力について）

・新潟県公安条例事件：最高裁昭和29年11月24日判決刑集 8 巻11号1866頁

（条例と公布について）

・青森市民税条例改正事件：最高裁昭和25年10月10日判決民集 4 巻10号465頁

（条例と刑罰について）

・大阪市売春勧誘行為等取締条例事件：最高裁昭和37年 5 月30日判決刑集16巻 5 号577頁

（条例と財産権について）

・奈良県ため池保全条例事件：最高裁昭和38年 6 月26日判決刑集17巻 5 号521頁

（国民健康保険料と租税法律（条例）主義等について）

・旭川市国民健康保険条例事件：最高裁平成18年 3 月 1 日判決民集60巻 2 号587頁

（条例と国の法令との関係・条例の規定の明確性等について）

・徳島市公安条例事件：最高裁昭和50年 9 月10日判決刑集29巻 8 号489頁

（条例と国の法令との関係・課税自主権・地方税法と租税法律主義等について）

・神奈川県臨時特例企業税事件：最高裁平成25年 3 月21日判決民集67巻 3 号438頁

（条例の規制と国の法令とのバランスについて）

・高知市普通河川等管理条例事件：最高裁昭和53年12月21日判決民集32巻 9 号1723頁

（条例の規制の広汎性等について）

・広島市暴走族追放条例事件：最高裁平成19年 9 月18日判決刑集61巻 6 号601頁

（条例の制定行為と処分性（抗告訴訟）等について）

・高根町別荘水道料金事件：最高裁平成18年 7 月14日判決民集60巻 6 号2369頁

・横浜市保育所廃止訴訟：最高裁平成21年11月26日判決民集63巻 9 号2124頁

（狙い撃ち条例の適法性について）

・紀伊長島町水道水源保護条例事件：最高裁平成16年12月24日判決民集58巻 9 号2536頁

（条例上の義務の履行と民事訴訟について）

・宝塚市パチンコ店等建築規制条例事件：最高裁平成14年 7 月 9 日判決民集56巻 6 号1134頁

（指導要綱の性格等について）

・武蔵野市教育施設負担金事件：最高裁平成 5 年 2 月18日判決民集47巻 2 号574頁

新要点演習
地方自治法

第5章

議　会

- ・（概観）
- ・議会の位置づけと組織
- ・議員の身分と権限
- ・委員会制度
- ・議会の権能
- ・議会の議決権
- ・議会の調査権
- ・議会の招集と種類
- ・会議の運営
- ・議会の紀律と懲罰

判例チェック

（概観）

　地方公共団体の議会は、議事機関として設置されるものであり、住民の直接選挙により選ばれた議員を構成員とし、住民を代表する。ただし、地方自治制度においては、いわゆる首長制（大統領制）が採用されており、長も住民による直接選挙で選ばれる住民の代表であるため、国会とは異なり、議会は、地方公共団体における最高機関でもなく、唯一の立法機関でもない。

　この章では、地方公共団体の議会の位置づけ、組織、権能、運営などについて取り上げるが、それらについて学習する際には、首長制の下での地方公共団体の議会と、議院内閣制の下での国会との制度上の異同について念頭に置きながら、理解するように心がける必要があるといえよう。

1　概説

　地方公共団体の議会について、憲法93条は、「地方公共団体には、法律の定めるところにより、その議事機関としての議会を設置する」、「地方公共団体の長、その議会の議員…は、その地方公共団体の住民が、直接これを選挙する」と定めている。

　以上の憲法の規定を受けて、地方公共団体においては、首長制が採用され、議会と長を独立対等なものと位置づけることにより、二元代表制の形がとられ、それぞれが職務を自主的に行うことで、相互に抑制と均衡を図りながら地方行政が行われるようにしている。

　その場合に、地方公共団体の議会は、地方公共団体において住民を代表してその地方公共団体の意思を決定する機関とされる。もっとも、議会が地方公共団体の意思決定機関とはいっても、必ずしも地方公共団体の意思のすべてが議会で決定されなければならないわけではない。意思決定機関としての議会が、団体意思を決定する場合の権限は地方自治法をはじめ法令によって規定されており、それ以外の場合には、執行機関たる長又は行政委員会等が自己の権限に属する事項について自ら決定し、執行することになる。なお、地方公共団体の意思は議会の議決をもって決定されるが、その対外的効力が生じるためには長により表示される必要がある。

　議会の権能としては、地方公共団体の意思を決定する議決権のほか、選挙権、意見書提出権、同意権、検査権、監査請求権、調査権などがある。

　地方公共団体の議会の構成員たる議員は、住民による直接選挙で選出される。議員は、住民の代表として議会の活動に参加する権利及び義務を有し、議会の招集・開会を要求する権利、質疑権・討論権・表決権、議案・動議の提出権、請願を紹介する権利等をもつ。なお、議員については、住民の代表者として公正に職務を行うことを担保するために、一定の兼職・兼業禁止の制度や住民による解職請求の制度等が設けられている。

　議会の意思決定は、議員全員で構成される会議において行われるが、会議の運営の効率化等のため、委員会制度が設けられている。

　議会については、会期制（通年会期も可能）が採用され、長によって招集され、その種類には定例会と臨時会があるほか、定足数の原則、多数決の原則、会議公開の原則などの会議に関する原則が規定されるとともに、議会運営の細目について会議規則を設けなければならないものとされている。

2　高まる議会の重要性

　議会については、審議が形骸化するなどその機能を十分に果たしていないといった厳しい批判を受けているのが現状である。

　しかしその一方で、地方分権が進展し、地方公共団体の自主性や主体性が高まるに伴って、議会が、住民の代表機関として、住民の多様な意見を反映しつつ、意思決定機能と執行機関に対するチェック機能を適切に果たしていくことが強く求められるようになっている。そして、議会が果たすべき役割が大きくなるに伴って、いかにして議会の活性化を図るかということが住民自治の実現の観点からも重要な課題となっているのである。

　なお、その場合に、議会の強化の基本的な方向として、行政監視機能と政策形成機能のいずれに重きを置くべきか、また、議員について専門職としての性格を重視すべきかどうかをめぐり、議論となっている。

3　ポイント

　この章では、議会の位置づけと組織について取り上げた後、議会の構成員である議員の身分や権限、議会の権能、議会の招集・種類、会議の運営、紀律と懲罰などについて説明する。試験では、議会については広い範囲から出題される傾向があるので、幅広く、かつ要領よく学んでおくことが必要である。

議会の位置づけと組織

1 議会の位置づけ

　憲法93条１項は、「地方公共団体には、法律の定めるところにより、その議事機関として議会を設置する」とする。地方公共団体においても、国と同様に、住民が直接に政治を行うのではなく、住民が選挙した代表者を通じて政治が行われる代表民主制が基本とされており（89条）、憲法は、長と議会の議員ともに住民が直接選挙することを規定している（例外として、94条の町村総会）。そして、これを受けて地方自治法は首長制を採用し、議会と長とを独立対等なものと位置づけることにより、二元代表制を採用し、それぞれが職務を自主的に行うことで相互に抑制と均衡を図りながら地方行政が行われるようにしている。このように、地方公共団体の議会は、国会とは異なり、地方公共団体における最高機関でも唯一の立法機関でもない。このような位置づけの中で、議会に期待される役割としては、①地域社会における多種多様な争点を政治過程にのせること、②審議を通じてそれらの争点に政策としての優先順位を与え住民に示すこと、③首長との競争と緊張関係を保ちつつ地方公共団体の公的な意思を形成すること、④執行機関による行政執行の適正さや有効性を評価し、監視・統制していくことなどが挙げられる。

2 議会の組織

⑴**会議**　会議は、議会の構成員である議員全員をもって組織される議会の基本的な組織である。議会の意思はこの会議によって決定される。

⑵**委員会**　委員会は、本会議の議決前に議会から付託された事件を審査する議会の内部的な予備審査機関であり、議会は条例で、常任委員会、特別委員会又は議会運営委員会を設置することができる（109条）。

⑶**議長・副議長**　議会は、議員の中から議長及び副議長１人を選挙しなければならないものとされている（103条１項）。選挙は指名推選の方法によることも認められる（118条２項）。議長・副議長の任期は、議員の任期による。任期の途中でも議会の許可を得て辞職することができるが、議会閉会中は副議長が議長の許可を得て辞職することができるにとどまる。

⑷**議会事務局**　事務局は、都道府県の議会に置かれるほか、条例で定めるところにより市町村の議会にも置くことができる（138条）。

■関連法条／憲法93条　地方自治法89条〜95条、103条〜123条、138条
●キーワード／議会　議事機関　意思決定機関　二元的代表制　町村総会
直接選挙　議員　会議　委員会　議長・副議長　議会事務局

> 【問題】地方公共団体の議会に関する次の記述のうち、妥当でないもの
> はどれか。

❶　議会は、地方公共団体の議事機関として、その意思を決定するが、そ
の対外的な効力については、長が地方公共団体を代表して外に向かって
表示することによりはじめて生じる。

❷　我が国の地方自治制度については、憲法で、長と議会の議員ともに住
民の直接選挙によることが明文をもって定められている。

❸　地方公共団体の議会は、国会が国権の最高機関とされているのと異な
り、地方公共団体における最高機関ではない。

❹　地方公共団体の議会は住民自治を実現するために必要な機関であり、
憲法において地方公共団体に議事機関として議会を設置すべきことが規
定されている。

❺　議会の権限は、法律で規定されているものに限られ、条例によって、
新たに権限を追加したり、権限の対象となる事項を拡大することは一切
できない。

解説

❶　正しい。地方公共団体を対外的に代表するのは長である。

❷　正しい（憲法93条2項）。

❸　正しい。地方公共団体の長も住民の直接選挙により選ばれ、住民を代
表する機関であり、議会と長は独立対等の関係にある。

❹　正しい（憲法93条1項）。なお、例外として、町村総会（94条）があ
るが、憲法の趣旨を損なうものではないと解されている。

❺　誤り。例えば、議決権については、一定の例外を除き、条例で議会の
議決すべき事件を追加することが認められている（96条2項）。

【正解　❺】

議員の身分と権限

1 議員の地位・身分

(1)**議員の地位** 議員は議会の基本的な構成員であり、その定数は、条例で定めることとなっている（90条、91条）。

(2)**議員の身分** 議員の任期は原則として4年であるが（93条1項）、これは一般選挙により選出された議員の任期であり、補欠選挙による議員の任期は前任者の残任期間となる。一方、議員がその身分を失う場合としては、次の事由がある。①任期満了、②選挙又は当選の無効、③被選挙権の喪失（127条1項）、④辞職（126条）、⑤兼職禁止に該当した場合（92条）、⑥兼業禁止該当の決定（92条の2、127条1項）、⑦懲罰としての除名（135条）、⑧解職請求の成立による失職（83条）、⑨議会の解散（78条、178条1項、議会解散特例法2条3項）。

(3)**兼職・兼業の禁止** 議員については、住民の代表者として公正に職務を行うことを担保するために、一定の兼職・兼業の禁止の制度が設けられている。兼業禁止として、議員は、一定の経済的ないし営利的業務への従事が制限されており、一般には請負禁止とよばれている。兼業禁止の対象となるのは、①当該地方公共団体に対し請負をする者及びその支配人たることの禁止、②当該地方公共団体が経費を負担する事業の請負をする者及びその支配人たることの禁止、③主としてこれらの請負をする法人の役員であることの禁止である（92条の2）。議会の議員が兼業禁止の規定に該当するときは、その職を失うが、この規定に該当するかどうかの決定は、議会が行う（127条1項）。

2 議員の権限

議員は、住民の代表として次の権利が与えられている。

①招集・開会を要求する権利（101条3項、114条1項）、②質疑権・討論権・表決権（議会の構成員として議会の意思決定に参加する権利）、③議案・動議の提出権（112条1項、115条の3）、④請願を紹介する権利（124条）。

なお、地方公共団体は、条例の定めるところにより、議員の調査研究その他の活動に資するため、政務活動費を交付することができる（100条14項）。議長は、政務活動費については、その使途の透明性の確保に努めるものとされている（100条16項）。

■関連法条／地方自治法90条～93条、126条～128条

◉キーワード／住民の代表　兼職・兼業の禁止　議案・動議の提出権等

【問題】議会の議員の兼職・兼業禁止に関する次の記述のうち、妥当なものはどれか。

---

❶　議員は、公正な議員活動を行わなければならず、あらゆる法人の役員を兼ねることができない。

❷　議員は、地方公共団体に対し請負する場合だけでなく、請負をした者と請負をする下請負の場合についても一切兼業が認められない。

❸　地方公共団体の議会の議員の配偶者が、主として当該地方公共団体に対し請負をする会社の役員であり、かつ、議員はその会社の役員でない場合についても、兼業禁止規定に当然該当する。

❹　議員が兼業禁止に該当するかどうかの決定は議会が行うが、この議決には、議員数の3分の2以上の者が出席し、その4分の3以上の者の同意がなければならない。

❺　議員は、当該地方公共団体に対し主として物品などを売り渡す会社の取締役になることはできない。

解説

❶　誤り。地方自治法が議員に対し禁止している兼業は、当該地方公共団体が請負契約をする場合の相手方（法人の場合は役員）となることである。

❷　誤り。地方公共団体と権力的な関係、非直接的な関係にある場合には、「請負」とはならず、下請負は基本的に請負に含まれないと解される。

❸　誤り。請負会社の役員に準ずべき者（92条の2）とは、役員と同程度の執行力と責任とを当該会社に対して有する者の意味であり、また配偶者が請負会社の役員であっても直ちに兼業に該当するとはいえない。

❹　誤り。出席議員の3分の2以上の多数により決定する（127条1項）。

❺　正しい。地方自治法92条の2にいう請負については、民法上の請負だけでなく、広く業として行われる経済的あるいは営利的な取引活動をすべて含むものと解されている。　　　　　　　　　　　　　【正解　❺】

委員会制度

1 委員会制度の意義

　地方公共団体の行政の広範化・専門化・技術化に対応し、議会において、審議の徹底を図り、能率的な議事運営を進めるため、地方自治法では、議会に、条例で、常任委員会、特別委員会及び議会運営委員会を置くことを認め、委員会制度を採用することができることとしている（109条）。議会における委員会は、議員をもって構成される合議制の機関であり、本会議の議決前に議会より付託された事件を審査する議会の内部的な事前審査機関であって、議会と離れて独立の意思決定をする機関ではない。

2 委員会の種類

　委員会には、委員が議員の任期中在任する常任委員会、特定の事件を審査するため、それが議会において審議されている間に限り設けられる特別委員会、議会の運営に関する事項を取り扱う議会運営委員会がある。

⑴　議会は条例で常任委員会を設けることができる（109条1項）。委員会の委員の数や選任などについても条例で定められる。常任委員は、条例で定められる任期の間在任する。常任委員会は、その部門に属する当該地方公共団体の事務に関する調査を行い、議案、請願等を審査し、議会に議案を提出できる。また、常任委員会は、民意の反映のため、予算その他重要な議案、請願等については、公聴会を開くことができるほか、参考人を招致することができる。常任委員会は、議会の内部機関であるから、原則として、議会開会中にその審査能力を有するものであるが、議会の議決により付議された特定の事件については、閉会中でもこれを審査することができる（会期不継続の原則と継続審査）。その他委員会に関し必要な事項は条例で定められる（109条9項）。

⑵　特別委員会は、常任委員会の所管に属しない特定の事件を審査する必要が生じた場合に、事件ごとに設置され、付託された事件の審議が終わればその存在意義を失うものであって、議会は、条例でこの委員会を設置することができる（109条1項）。そのほかは、常任委員会とほぼ同様である。

⑶　議会は、議会運営の円滑化のため、条例で、議会運営委員会を置くことができ（109条1項）、議会運営委員会は、議会の運営事項等に関する調査や議案等の審査を行う。

■関連法条／地方自治法109条

◉キーワード／常任委員会　特別委員会　議会運営委員会　予備審査機関

継続審査

> 【問題】議会の委員会制度に関する次の記述のうち、妥当なものはどれか。

❶　議会は、会議規則で、人口段階に応じて法定されている数を上限とする常任委員会を設置することができる。

❷　議員は、各人1つの常任委員とならなければならず、2つ以上の常任委員を兼ねることはできない。

❸　特別委員会は、特定の事件を審査するため、条例によることなく議会の議決により設置され、その委員は議員の任期中在任する。

❹　会期不継続の原則により、会期中に議会の審議が終わらなかった事件は会期の終了とともに消滅するのが原則だが、議会が特別に議決したものについては、常任委員会に限り閉会中も審査することができる。

❺　委員会は、予算を除き、その部門に属する地方公共団体の事務に関するものにつき、議会に議案を提出することができる。

【解説】

❶　誤り。常任委員会を設置するには、会議規則ではなく条例によることとされており、また、その数については制限がない（109条1項）。

❷　誤り。議員の委員選任について、法令上の定めはない。

❸　誤り。特別委員会は、議会の議決により付議された事件について審査するため条例（一般的設置条例で議会の議決により設置を決定できるとすることも可能）によりその都度設置されるもので（109条1項）、また、委員は、当該事件が議会において審議されている間在任する。

❹　誤り。委員会の審査は、議会の開会中を原則とするが、議会の議決により付議された特定の事件については、閉会中も審査することができ（109条8項）、閉会中の審査は、特別委員会や議会運営委員会でも可能である。

❺　正しい（109条6項）。　　　　　　　　　　　　　　【正解　❺】

議会の権能

1　議会の権能

　地方公共団体の議会は、憲法でその設置が定められた議事機関であり、住民の代表機関として地方公共団体の意思を決定する機関である。地方自治法は、こうした議会の自主的かつ積極的な運営のため、その権限を拡大するとともに、執行機関に対し民主的な批判牽制を加えるための権限を与えている。

2　議会の権能の種類

　議会の権限の種類と内容は次のとおりである（96～100条）。①**議決権**　地方公共団体の意思を決定する権限であり、議会の最も基本的な権限である。ただし、現行地方自治制度が首長制を採用していることから、その権限は地方公共団体のすべてに及ぶわけではなく、地方自治法96条に掲げられた事項に限られる。②**選挙権**　議会は、議長・副議長、仮議長、選挙管理委員・補充員の選挙など、法令によりその権限に属する選挙を行う。③**意見書提出権**　当該地方公共団体の公益に関する事件について、国会・関係行政庁に意見書を提出できる。④**同意権**　議会と長の抑制均衡から、法令上議会の同意、承認を要件とすることにより認められた権限である。副知事等の主要公務員の選任等を長が行う場合の同意、長の専決処分の承認がこれにあたる。⑤**諮問答申権**　給与その他の給付に関する処分、分担金等の徴収等に審査請求があるときは、長は議会に諮問し、議会はこれに対し意見を述べなければならない。⑥**検査権・監査請求権**　議会は、当該地方公共団体の事務（政令で定める例外を除く）の管理、議決の執行及び出納を検査し、監査委員へこれらの事務に関する監査を請求することができる。⑦**調査権**　議会の諸権限を実効あるものとするため、議会に当該地方公共団体の事務（政令で定める例外を除く）に関する調査権が認められている。⑧**不信任議決権**　議会と長がそれぞれ独立の立場で相互抑制し、その均衡の上に地方公共団体は運営されているが、この均衡が保たれなくなった場合のためのものとして、議会に、長に対する不信任議決権が認められている。⑨**請願受理権**　憲法により国民の請願権が保障されていることに対応し、議会にこの請願を受理する権限が認められている。⑩**自律権**　議会の組織運営について、議会が自主的にこれを行う権限である。

■関連法条／地方自治法96条〜100条

◉キーワード／議決権　選挙権　意見書提出権　同意権　諮問答申権　検査権　監査請求権　調査権　不信任議決権　自律権

> 【問題】議会の権能に関する次の記述のうち、妥当なものはどれか。

❶　意見書提出権の対象は、当該地方公共団体の事務に関するものに限られ、また、国会及び裁判所に対しては提出できない。

❷　議会の検査権の対象は、自治事務に限られ、法定受託事務については、本来国等が果たすべき役割に係るものであることから、当該地方公共団体の経費負担の限度において、検査できるのみである。

❸　議会の調査権は議会に対して認められたものであるが、議会が議決により、委員会に対し、個々の事項について調査の範囲と方法を指定して委任した場合、委員会が調査権を行使することができる。

❹　監査請求権の対象は、地方自治法242条の住民監査請求と同様、財務会計上の違法・不当な行為又は怠る事実に限られている。

❺　議会の議決権は法令に反しない限り当該団体のすべての事項に及ぶ。

解説

❶　誤り。議会の意見書の対象は当該普通地方公共団体の公益に関する事件であればよい。また、意見書の提出先には、国会が含まれる（99条）。

❷　誤り。自治事務については労働委員会・収用委員会の権限事項を、法定受託事務については国の安全、個人の秘密に係る事項と収用委員会の権限事項を除きすべての事項について検査が可能（98条１項）。

❸　正しい。調査の都度、議会が調査の対象たる事件及び調査の範囲・方法を定めて調査権を委員会に委任する議決を行うことにより、当該委員会が議会の調査権を行使できる。

❹　誤り。議会による監査請求（98条２項）は、長等の行政責任を明らかにすることを目的とし、その対象は、当該地方公共団体の事務一般である。

❺　誤り。議会の議決事件は地方自治法96条に列挙された事項をはじめ法律で認められた事項に限られる。　　　　　　　　　　　　【正解　❸】

議会の議決権

1　議会の議決権の意義

　議会の議決権とは、地方公共団体の主要な事務について団体意思を決定する権限である。この権限は、議会の有する権限のうちで最も基本的かつ本質的なものである。議会の意思決定は、通常「議決」によって行われている。同意・決定等のような地方公共団体の機関としての議会の意思決定をも含めて議決権としてとらえる見解もあるが、一般には、地方公共団体としての意思を決定する権限を議決権と呼んでいる。

　地方公共団体の議会は、議事機関であり（憲法93条）、住民を代表し地方公共団体の意思を決定する機関として、戦後、自治権の拡充とともに、その重要性を増してきた。しかし、地方自治法が首長制を採用していることから、その権限は、地方公共団体の事務すべてに及ぶのではなく、法律又は条例で規定された事務のうち特に重要なものに限られるとされる。

2　議会の議決事件

　議会の議決すべき事項（議決事件）は、地方自治法96条に制限列挙されている。具体的には、同条1項各号に列挙されている議会が議決しなければならない事項（法定議決事件）と同条2項により地方公共団体の条例で議会が議決すべきものと定めた事項（法定受託事務については、国の安全に関することなど議会で議決することが適当でないものとして政令で定めるものを除く）がある。

　法定議決事件については、一般に①条例の制定改廃、予算の議決、決算の認定及び地方税の賦課徴収等（96条1項1号～4号）の狭義の団体意思の決定としての議決と②契約の締結、財産の取得使用処分、不動産の信託、負担付き寄付・贈与、権利の放棄、公の施設の長期独占的利用、訴えの提起、損害賠償額の決定等（96条1項5号～13号）の長が具体的財務行為を執行する前提としての議決（事件議決）とに分けることができる。①の発案権は、予算・決算のように長に専属させている場合を除き、一般に長・議員の双方にあるが、②の発案権は、長のみがもち、議会には修正権もなく、議案について賛否を表しうるにすぎないものと解されている。

　なお、議会の議決によって地方公共団体としての意思が決定されるが、長がこれを外に向かって表示することによりはじめて対外的効力が発生することになる。

■関連法条／地方自治法96条

●キーワード／議決権　議決事件　法定議決事件

> 【問題】議会の議決権に関する次の記述のうち、妥当でないものはどれか。

❶　議会は、当該地方公共団体における最高機関ではなく、その議決権は、当該地方公共団体の事務のすべてに及ぶわけではない。

❷　地方自治法96条1項により議会が議決しなければならない事項についての発案権は、予算と決算の提出を除き、議員及び長の双方にある。

❸　議決には、地方公共団体としての意思を決定するもののほか、地方公共団体の機関としての議会の意思を決定するものがある。

❹　議会の議決によって、地方公共団体としての意思が確定するが、その効力の発生のためには、長による対外的手続を必要とする。

❺　議会の議決すべき事件については、条例により追加することができるが、その場合でも、法定受託事務に関する事件のうち政令で定める一定の事項については追加の対象とすることができない。

解説

❶　正しい。地方自治法が首長制を採用していることから、議会の議決権は、地方公共団体の事務すべてに及ぶのではなく、基本的に地方自治法96条に規定された事項（議決事件）に限られると解されている。

❷　誤り。地方自治法96条1項1号〜4号の事項についての記述としては妥当だが、同項5号以下の財務行為の議決の発案権は長に専属するものとされる。

❸　正しい。議会の議決には、①地方自治法96条に基づき地方公共団体の意思を決定する議決と②議員の懲罰に関する議決、副知事・委員等の選任についての同意など機関としての議会の意思を決定する議決とがある。通常、議会の議決権という場合は、前者を指す。

❹　正しい。議会の議決によって、地方公共団体としての意思は確定するが、この議決により確定したものを外に向かって表示するのは、長の権限であり、長の表示によってはじめて対外的な拘束力をもつものである。

❺　正しい（96条2項）。　　　　　　　　　　　　　　　【正解　❷】

議会の調査権

1 議会の調査権の意義と対象

　地方自治法は、「普通地方公共団体の議会は、当該普通地方公共団体の事務に関する調査を行い、選挙人その他の関係人の出頭及び証言並びに記録の提出を請求することができる」など（100条）と規定し、議会の調査権を認めている（この調査権は、「100条調査権」と呼ばれる）。これは、憲法62条で、国会に対し国政に関する広範な調査権が与えられた趣旨を踏まえ、地方自治法上、地方公共団体の議会に、その職責を十分果たすために認められたものである。したがって、調査権の本質は、議会が有する一般的な質問、説明要求、検査権、監査請求等の諸権限を担保するための補助的な権限であるということができる。

　まず、議会の調査権の対象となるのは、当該普通地方公共団体の事務である。ただし、政令で定める一定の事項（自治事務については労働委員会・収用委員会権限事項、法定受託事務については収用委員会権限事項のほか国の安全・個人の秘密に係る事項）は、対象外とされる（100条1項）。なお、当該普通地方公共団体の事務に属する限り、議会の調査は、議案調査に限らず、政治調査や事務調査も可能とされている。

2 調査の方法

　調査権は議会に与えられた権限であるが、通常は、常任委員会に調査を委任し、又は特別委員会を設置し、調査に当たらせている。この権限は議会固有のものであるから、条例又は会議規則で、委員会に一般的・包括的に委任することはできない。

　議会が調査を行うに当たっては、強制的な方法によることが認められ、選挙人その他の関係人の出頭・証言及び記録提出を求めることができ（100条1項）、関係人等が正当な理由なく証言等を拒んだ場合には、6か月以下の禁錮又は10万円以下の罰金が科されるほか、宣誓をしてから虚偽の陳述をした場合には3か月以上5年以下の禁錮に処される（100条3・7項）。このように、調査の実効性を担保するため強制力が与えられている点でも、常任委員会の一般的調査権（109条2項）と大きく異なる。

　なお、議会は、議案の審査又は当該団体の事務の調査のために必要な専門的事項に係る調査を学識経験者にさせることができる（100条の2）。

■関連法条／地方自治法100条、109条

◉キーワード／調査権　100条調査権　出頭・証言・記録の提出要求

【問題】議会の調査権に関する次の記述のうち、妥当なものはどれか。

❶　地方公共団体の議会で証言することを求められた者が正当な理由なく拒否した場合であっても、議会は、法人格を有しないため、その者を告発できない。

❷　地方公共団体の議会は、国の外交関係の事務に関する事項についても、原則として、選挙人等の出頭・証言及び記録提出を求めることができる。

❸　自己に不利益となる事実を地方公共団体の議会において証言することを拒否することは、証言を拒否する正当な理由に該当する。

❹　調査権は議会に与えられた権限であるが、議事運営の効率化のため、条例により、常任委員会にあらかじめ調査権を包括委任してもよい。

❺　議会が調査を行う際、選挙人その他の関係人の出頭及び証言を求めることができるが、ここにいう「関係人」は当該地方公共団体の住民に限られる。

解説

❶　誤り。議会は、選挙人その他の関係人が正当な理由なくして証言を拒否し、又は虚偽の陳述をしたと判断したときは、告発しなければならない（100条9項）。また、この告発は、議長名で行うこととされている。

❷　誤り。議会の調査権の対象は、当該地方公共団体の事務であり、外交、防衛等の国の事務については、当然調査権は及ばない。

❸　正しい。自己又は一定の親族関係者等の刑事上の訴追又は処罰を招くおそれのある事項に関する証言や、それらの者の恥辱になるべき事項に関する証言、その他自己に不利益になる事実の証言は、「正当な理由」として拒否することができると解される（憲法38条1項）。

❹　誤り。委員会がこの権限を行使するためには、事件ごとにあらかじめ指定し、議会の議決をもって、この権限を委任しておく必要がある。

❺　誤り。ここでいう「関係人」とは、当該地方公共団体の住民である必要はなく、調査対象に関係するすべての人を指す。　【正解　❸】

議会の招集と種類

1 議会の招集

　議会の招集とは、会議を開くために、一定の期日に一定の場所に集合するよう議員に要求することである。招集は、地方公共団体の長の専属権限である（101条1項前段）。ただし、議長から議会運営委員会の議決を経て、又は議員定数の4分の1以上の者から、会議に付議すべき事件を示して臨時会の招集の請求があったときは、長は請求のあった日から20日以内に招集しなければならず（101条4項）、20日以内に長が招集しないときは議長が臨時会を招集する（101条5・6項）。なお、この場合の付議事件については、議員に発案権のある議案でなければならない。したがって、発案権が長に専属する事項（ex. 予算、決算認定、副知事・副市町村長の選任の同意等）については付議事件にすることができない。また、法令上議会の権限とされているものでなければならず、議会が単に事実上行う議決（ex. 議長不信任）は、これに含まれない。議会の具体的な招集期日は、長が決定するが、長は、議会開会の日前、都道府県と市では7日、町村では3日までに招集を告示しなければならない。ただし、緊急を要する場合は、この限りでないとされている（101条7項）。

2 議会の種類

　議会には定例会と臨時会があり、定例会は毎年条例で定める回数を招集する（102条2項）。定例会は案件を特定しない。これに対して臨時会は、あらかじめ告示された特定の案件について招集する（102条3～5項）。ただし、緊急を要する事件があるときは、直ちに会議に付議することができる（102条6項）。議会の招集は長の権限であるが、会期、会期の延長及び会議の開閉に関する事項については議会が定める権限を有し（102条7項）、いったん招集された後の議会の運営は、議会が自主的に行う。

3 議会の会期

　議会が活動を行う期間である会期とその延長については議会が定める。会期はそれぞれ独立し、会期中に議決に至らなかった事件は、次の会期に継続しない（119条）。これを「会期不継続の原則」というが、例外としては、議会の議決による閉会中における委員会での継続審査がある（109条8項）。

　このほか、条例により、通年の会期（条例で定める日から翌年の当該日の前日までを会期とするもの）とすることもできる（102条の2）。

■関連法条／地方自治法101条、102条、102条の２、109条８項、119条

◉キーワード／招集　定例会　臨時会　会期　会期不継続の原則　継続審査　通年会期

> 【問題】議会の招集と種類に関する次の記述のうち、妥当なものはどれか。

❶　定例会は、毎年度４回以上条例で定める回数・時期に招集されなければならず、その会期は議長がそのつど決定する。

❷　議会の招集は、開会の日前、都道府県と政令指定都市では７日、その他の市と町村では３日までに告示しなければならない。ただし、緊急を要する場合は、告示に代えて各議員への通知によることができる。

❸　臨時会は、必要がある場合において、特定の事件を審議するために、長がこれを招集する。

❹　議会の会期については、招集権者である長の提案に基づき議会において定めるが、会期の延長については、議会の判断のみでこれを定める。

❺　臨時会は、あらかじめ告示された会議に付議すべき事件のみを審議し、それ以外の事件については一切審議することができない。

解説

❶　誤り。定例会は、毎年、条例で定める回数招集される（102条２項）。また、招集は長の権限であるから、条例で招集時期を規定することはできない。さらに、会期は議会が定める（102条７項）。

❷　誤り。都道府県と市にあっては７日、町村にあっては３日とするのが正しい。また、緊急を要する場合には、通常の告示期限までに行う必要はないが、告示自体はしなければならない（101条７項）。

❸　正しい（101条１項、102条３項）。

❹　誤り。議会の会期及びその延長ともに、議会が定めるものとされている（102条７項）。

❺　誤り。臨時会に付議すべき事件は長又は議長があらかじめ告示したものが原則だが、緊急を要する事件があるときは、直ちにこれを臨時会の会議に付議することができる（102条３〜６項）。　　　　　【正解　❸】

会議の運営

1 会議における原則

(1)**議会の意思決定に関する原則** 地方公共団体の議会は議員の定数の半数以上の議員が出席しなければ会議を開くことができない（113条。定足数の原則）。なお、定足数を欠いていても会議を開き得る場合として、除斥（117条）のため半数に達しない場合、再度招集又は出席催告してもなお半数に達しない場合がある（113条ただし書）。議会の意思決定の方法としては、多数決（過半数）の原則が採用されている（116条1項）。

(2)**議事の公正を期すための原則** 地方公共団体の議会の会議は、公開が原則である（115条1項。会議公開の原則）。ただし、議長又は議員3人以上の発議により、出席議員の3分の2以上の多数で議決したときは秘密会を開くことができる（115条1項ただし書）。会議録については、その調製が議長に義務付けられている（123条）。なお、委員会の公開については、地方自治法上、何も規定されていない。

(3)**議会運営の規律を確保するための原則** 会期不継続の原則（119条）、一事不再議の原則などがある。

このほか、議会運営に関する事項については、議会が会議規則を定めなければならないこととされている（120条）。

2 議会の意思決定

議会の議事は出席議員の過半数で決するのが原則であるが、地方自治法上、特別多数が規定されているものとしては次のようなものがある。

(1)**通常の定足数（議員の定数の過半数）による出席議員の3分の2以上の多数** ①地方公共団体の事務所の設定・変更条例の制定改廃（4条3項）、②秘密会の議決（115条1項）、③議員の失職・資格に関する決定（127条1項）、④条例の制定改廃又は予算の再議議決における同意（176条3項）、⑤重要な公の施設の廃止・利用に関する同意（244条の2第2項）。

(2)**議員の3分の2以上の者が出席しその過半数** 長に対する不信任議決（再度の場合）（178条3項後段）。

(3)**議員の3分の2以上の者が出席しその4分の3以上の多数** ①主要役員の解職請求に関する同意（87条1項）、②議員の除名（135条3項）、③長に対する不信任議決（最初の場合）（178条3項前段）。

■関連法条／地方自治法101条、102条、102条の2、112条〜123条
◉キーワード／定足数の原則　会議公開の原則　多数決の原則　特別多数
　会期不継続の原則　会議規則

【問題】議会の会議の運営に関する次の記述のうち、妥当でないものは
どれか。

❶　地方公共団体の議会の会議は公開が原則であるが、議長又は議員3人
　以上の発議により、出席議員の3分の2以上の多数で議決したときは、
　秘密会を開くことができる。

❷　地方公共団体の議会は議員の定数の半数以上が出席しなければ会議を
　開くことができず、議長は、会議中定足数を欠くに至るおそれがあると
　認めるときは、議員の退席を制止し、又は議場外の議員に出席を求める
　ことができる。

❸　同一の事件について再度招集してもなお半数に達しないときは、定足
　数に達していなくても会議を開くことができる。

❹　地方自治法上、地方議会の委員会は公開が原則とされているが、その
　委員会の出席議員の過半数で議決した場合には、秘密会にできる。

❺　会期中に議決に至らなかった議案については、会期の終了とともに消
　滅するのが原則であるが、委員会の閉会中審査に付された議案は後会に
　継続する。

解説

❶　正しい（115条1項ただし書）。

❷　正しい。定足数については113条参照。なお、「議員の定数の半数以上
　の議員」の中には、議長も含まれる。

❸　正しい（113条ただし書）。いわゆる再度招集の場合である。なお、定
　例会については特定の付議事件を告示して招集するということはなく、
　再度招集に関する定足数の例外は臨時会の場合にのみ適用がある。

❹　誤り。地方自治法上、委員会の公開については規定が置かれていない。

❺　正しい。会期不継続の原則（119条）とその例外である（109条8項）。

【正解】　❹

議会の紀律と懲罰

1 議会の紀律

議会の紀律とは、議会が議場の秩序を維持し、議会の品位を保持し、議会運営を円滑にするための議会の自律作用である。議場の秩序維持（129条）、傍聴人の取締り（130条）及び発言における品位の保持（132条）について地方自治法で定められているほか、必要な事項が会議規則（120条）に規定される。会議規則においては、品位の尊重、携帯品の規制、議事妨害の禁止等が定められているのが通例である。議員がこれらの事項に違反した場合、懲罰の対象になる。会議又は委員会において、侮辱を受けた議員は、これを議会に訴えて処分を求めることができる（133条）。

2 懲罰

議会は、地方自治法、会議規則及び委員会条例に違反した議員に対し、議決により懲罰を科すことができる（134条1項）。議会の懲罰権は、議会の円滑な運営を担保するために議会が自律作用の一環として科す制裁であり、懲罰事由は、地方自治法、会議規則又は委員会条例に対する違反行為に限られる。議員の私人としての行為は、民事・刑事の責任を問われるものであっても、そのことのみをもって懲罰を科すことはできない（最高裁昭和28年11月20日判決）。懲罰の種類としては、公開の議場における戒告、公開の議場における陳謝、一定期間の出席停止及び除名の4つがある（135条1項）。このほか、議員が正当な理由なく招集に応じなかった場合等についても懲罰の対象となることがある（137条）。懲罰の動議を議題とするに当たっては、議員定数の8分の1以上の者の発議によることを要する（135条2項）。除名には、特別多数による議決（議員の3分の2以上の者が出席し、その4分の3以上の者の同意）を要する（135条3項）。

議員の懲罰と司法審査の関係については、懲罰は、議会の内部規律の問題であり、その適否は議会の自主的・自律的な解決に委ねられるが、除名と出席停止についてはその効果等から司法審査の対象となるとされている（最高裁昭和27年12月4日判決、最高裁令和2年11月25日判決など）。

なお、懲罰は一般の行政処分と同じとはいえない面があることから、行政不服審査法に基づく審査請求の対象とならず、その代わり、地方自治法255条の4の審決の申請を行うことができるものと解されている。

■関連法条／地方自治法129条〜137条

●キーワード／議会の紀律　懲罰　自律権　司法審査

【問題】議会の紀律と懲罰に関する次の記述のうち、妥当なものはどれか。

❶　議会の懲罰議決は、一般の公務員関係における懲戒処分とその性質を同じくするものであるので、すべて裁判の対象になる。

❷　議会の会議又は委員会において侮辱を受けた議員は、これを議会に訴えて処分を求めることができるが、この場合は議員１人ですることができる。

❸　議員が議会内で他の議員の名誉を毀損する内容の発言を行った場合、懲罰の対象となりうるが、免責特権により議会外では法的責任を問われない。

❹　収賄事犯に関係したとして有罪判決を受けた議員に対し、議会は、収賄が議員の信用を失墜させる行為であるとして懲罰を科すことができる。

❺　懲罰には、公開の議場における戒告、公開の議場における陳謝、一定期間の出席停止、報酬の一定期間の減額及び除名の５種類がある。

解説

❶　誤り。除名と出席停止以外の懲罰に司法審査は及ばないとされている。

❷　正しい。地方自治法133条の「議会に訴えて」とは、議会に懲罰処分を要求することであるが、この場合には同法135条２項（懲罰動議の発議要件＝議員定数の８分の１以上の者の発議）の適用はなく、侮辱を受けた議員が１人で訴えることができるものであると解される。

❸　誤り。国会議員の場合（憲法51条）と異なり、地方議会の議員には免責特権はない。

❹　誤り。懲罰事由は、地方自治法、会議規則及び委員会条例に対する違反行為に限られる（134条１項）。議員が会議運営と関係なく私人として行う行為については、それがいかに市民社会の秩序を乱すものであっても、そのことのみをもって懲罰の対象とはならないと解される。

❺　誤り。懲罰の種類は、設問に挙げたもののうち、「報酬の一定期間の減額」を除く４種類である（135条１項）。　　　　　　【正解　❷】

判例 チェック

（議員の請負等の禁止と不服申立てについて）
- 最高裁昭和56年 5 月14日判決民集35巻 4 号717頁

（議員の辞職について）
- 最高裁昭和24年 8 月 9 日判決民集 3 巻 9 号329頁
- 最高裁昭和28年 5 月15日判決民集 7 巻 5 号5689頁

（議員の海外派遣について）
- 最高裁昭和63年 3 月10日判決判時1270号73頁

（議会の議決を欠いた義務負担行為の効力について）
- 最高裁昭和35年 7 月 1 日判決民集14巻 9 号1615頁

（契約の締結に関する議決について）
- 最高裁平成16年 6 月 1 日判決判時1873号118頁

（住民訴訟と賠償請求権放棄議決について）
- 神戸市債権放棄議決事件：最高裁平成24年 4 月20日判決民集66巻 6 号2583頁
- さくら市債権放棄議決事件：最高裁平成24年 4 月23日判決民集66巻 6 号2789頁

（議会の議決を要しない訴えについて）
- 最高裁昭和30年11月22日判決民集 9 巻12号1818頁
- 最高裁昭和34年 7 月20日判決民集13巻 8 号1103頁
- 最高裁平成23年 7 月27日決定裁判所時報1537号 1 頁

（議会による出頭・証言の請求の方法について）
- 最高裁昭和57年 7 月23日決定刑集36巻 6 号710頁

（政務調査費の使途について）
- かすみがうら市政務調査費交付取消等請求事件：最高裁平成22年 3 月23日判決判時2080号24頁

（議会の会派に対する政務調査費以外の経費を対象とする補助金の交付について）
- 最高裁平成28年 6 月28日判決判時2317号39頁

（議長の職権による議会の閉議について）
- 最高裁昭和33年 2 月 4 日判決民集12巻 2 号119頁

（議長の議員発言取消命令と司法審査）
- 最高裁平成30年 4 月26日判決判時2377号10頁

（秘密会について）
- 最高裁昭和24年 2 月22日判決民集 3 巻 2 号44頁

（個人的行為と懲罰について）
- 最高裁昭和28年11月20日判決民集 7 巻11号1246頁

（除名処分と司法審査について）
- 最高裁昭和27年12月 4 日判決行集 3 巻11号2335頁（除名）
- 最高裁昭和35年 3 月 9 日判決民集14巻 3 号355頁（除名）
- 最高裁令和 2 年11月25日判決民集74巻 8 号2229頁（出席停止）

（地方議会議員の免責特権の有無について）
- 最高裁昭和42年 5 月24日判決刑集21巻 4 号505頁

新要点演習
地方自治法

第 6 章

執行機関

判例チェック

地方公共団体には、議事機関である議会とその決定した意思に基づいて事務を管理・執行する執行機関が置かれるが、地方公共団体においては、議院内閣制ではなく首長制が採用されるとともに、執行機関は、地方公共団体の長と行政委員会型の委員会及び委員によって構成されており、それぞれの権能や関係について押さえておくことが重要となる。

1　執行機関の特色

地方公共団体の執行機関の特色としては、長の公選制と執行機関の多元主義を挙げることができる。長の公選制は、住民が地方公共団体の長を直接選挙で選ぶことであり（二元代表制）、これは、民主主義の原理を徹底し地方行政の民主的な運営を確保するために、執行機関を民主的な手続で構成しようとするものといえる。ただし、首長制とはいっても、長と議会が対立した場合の調整手段として議会による長の不信任議決と長による議会の解散などの議院内閣制の要素も取り入れられており、その点ではアメリカ型の大統領制とは異なる。また、執行機関の多元主義とは、長のほかに長から独立した委員会及び委員を置くことであり、これは、権力分立の趣旨に基づき執行権限を分散することにより、公正妥当な執行の確保、行政運営の画一主義の防止などを目的とするものである。長は、執行権の長、そして地方公共団体を代表する機関として、制度上も実際上も広範な権限をもっている。その意味では、執行機関の多元主義が徹底されるとともに、議会や住民による監視が十分に機能することが必要となる。

2　執行機関の概要

地方公共団体の執行機関は、独自の執行権限を有し、その担任する事務について地方公共団体の意思を自ら決定し、これを外部に表示することのできる機関でもあり、長と委員会・委員が置かれている。また、執行機関の職務遂行を内部的に補助するために設置されるのが補助機関であり、長の補助機関として、副知事・副市町村長、会計管理者、その他の職員、専門委員などが規定されている。さらに、調停・審査・諮問・調査のための機関として執行機関に付置される附属機関がある。長の権限に属する事務については、その事務の種類によって分掌する内部組織と地域的に分掌する支庁・地方事務所、支所・出張所などの出先機関によって処理される。

　このほか、水道事業、公営交通事業などの地方公共団体が経営する企業の組織である地方公営企業も地方公共団体の組織の一部であるが、そこでは、公共性とともに企業の能率的経営や経済性の発揮に重点が置かれ、地方公営企業法により長から独立性を有する組織として位置づけられている。さらに、地方独立行政法人法により、公共上の見地からその地域で確実に実施されることが必要な事務・事業のうち、民間では必ずしも実施されないおそれがあるものについて、地方公共団体が地方独立行政法人を設置して行わせることも認められているほか、地方公共団体が出資・設立した地方公社、民間と共同して出資・設立した第三セクターに公共的な事務を処理させることなども行われている。

　他方、市町村は、市町村長の権限に属する事務を分掌させるとともに、地域の住民の意見を反映させつつこれを処理させるため、条例で、その区域を分けて定める区域ごとに「地域自治区」を設けることも認められているが、地域自治区は、市町村の一定の行政を処理するための組織・機構を備える法人格を有しない行政区画の一種とされている。

　なお、執行機関は単一の機関によって構成されるわけではないことから、その体系化・総合化・一体化を図ることが必要となってくるが、その中心的役割は長に委ねられている。地方自治法は、基本的に、執行機関は、自らの判断と責任において、それぞれの事務を誠実に管理し、及び執行する義務を負うものとするとともに、執行機関の組織の原則として、①長の所轄の下に、それぞれ明確な範囲の所掌事務と権限を有する機関によって、系統的にこれを構成しなければならない、②長の所轄の下に、執行機関相互の連絡を図り、すべて一体として行政機能を発揮するようにしなければならない、③長は、執行機関相互の間にその権限につき疑義が生じたときは、これを調整するように努めなければならない、と定めている。

3　ポイント

　この章では、長の地位と権限について確認した後、長の補助機関、補助組織、長と議会の関係、委員会・委員などについて取り上げる。長と議会や委員会・委員との関係は、試験で出題されやすい分野の1つでもあるので、それぞれの項目のポイントをしっかりと押さえておきたい。

長の地位と権限

1　長の地位

(1)**長の地位**　地方自治法では、普通地方公共団体には、都道府県に知事、市町村に市町村長が置かれ（139条）、普通地方公共団体の長は、当該普通地方公共団体を統轄し、これを代表するとされている（147条）。

(2)**長の任期**　長の任期は、原則として4年である（140条）。

(3)**長の兼職・兼業の禁止**　長は、衆・参両議院議員、地方公共団体の議会の議員、常勤の職員等との兼職が禁止されている（141条）。また、その公正な職務の執行の確保を図るため、①その地方公共団体に対し請負をする者及びその支配人、②主としてその地方公共団体に対し請負をする法人の役員との兼業が禁止されている（142条）。

(4)**長の失職事由**　長は、死亡のほか、①被選挙権の喪失（143条）、②兼職禁止の職への就任（141条）、③兼業禁止該当の決定（142条、143条）、④選挙無効・当選無効の確定（144条）、⑤解職請求に基づく罷免（81条、83条）、⑥議会の不信任議決による退職（178条）、⑦本人の意思による退職（145条）の場合などにその職を失うものとされている。

2　長の権限

(1)**長の統轄代表権**　長は、当該普通地方公共団体を統轄・代表する権限をもつ（147条）。「統轄」とは、当該地方公共団体の事務の全般について、長が総合的統一性を確保する権限を有することを意味し、「代表」とは、長が外部に対して地方公共団体を代表し、長のなした行為そのものが法律上直ちに当該地方公共団体の行為となることを意味する。

(2)**長の事務執行権**　地方公共団体の長は、当該地方公共団体の事務を管理し、及び執行する（148条）。長の管理執行する主要な事務を概括的に例示すると、①議会への議案の提出、②予算の調製・執行、③地方税の賦課徴収、分担金・使用料・加入金・手数料の徴収、過料を科すこと、④決算を議会の認定に付すこと、⑤会計の監督、⑥財産の取得・管理・処分、⑦公の施設の設置・管理等、⑧証書及び公文書類の保管、⑨その他地方公共団体の事務の執行（149条）である。これらは例示とされ、法令の規定により他の機関の権限であるとされない限り、長の権限との推定を受けることになる。このほか、内部統制に関する方針の策定・体制整備等も行う。

■関連法条／地方自治法139条〜159条

◉キーワード／都道府県知事　市町村長　総合調整権　統轄代表権　事務執行権　兼職・兼業の禁止

【問題】長の地位と権限に関する次の記述のうち、妥当なものはどれか。

❶　長の退職に当たっては、その退職日前、都道府県知事にあっては30日までに総務大臣、市町村長にあっては20日までに当該都道府県知事に届け出なければならない。

❷　長は地方公共団体を代表するものであり、長の行為がその権限の範囲を超えて行われたものであっても、その地方公共団体の行為となる。

❸　地方自治法149条は長の担任事務を列記しているが、これは長が処理すべき事務の主たるものを規定しているにすぎない。

❹　長の統轄権は、各執行機関及びその職員に対してのみ行使される。

❺　行政委員会は長から独立した執行機関とされ、長とは別に、予算の調製、議案の提出及び地方税の賦課等の権限をもつ。

解説

❶　誤り。議会の議長に申し出なければならない（145条）。

❷　誤り。地方自治法147条の長の代表権の内容は法律の規定により定まり、その範囲外の行為は民法110条（表見代理）や旧44条1項（法人の不法行為）等の規定が類推適用されるというのが判例・通説である。

❸　正しい。地方自治法149条は、長の権限のうち主要なものを概括例示したものとされ、長の担任事務のすべてを列挙しているわけではない。

❹　誤り。地方自治法147条にいう「統轄」とは、当該地方公共団体の事務の全般について、長が総合的統一性を確保することである。したがって、長の統轄権の内容は、各執行機関及びその補助機関である職員だけではなく、その権限に関する限り、議会及び住民のすべてに及び、当該地方公共団体の事務全般について統轄する。

❺　誤り。行政委員会は長から独立した執行機関であるが、行政執行面での一体性を保持するため、統轄代表たる長の調整権限に服し、原則として設問に掲げる権限を有しない（180条の6）。　　　　【正解　❸】

長の権限の代行制度

1 長の職務代理

長の職務代理とは、長の権限の全部又は一部を他の者が代わって行使し、それが長の行為としての効果をもつことである。代理には、法の根拠は不要である。なお、代理の範囲は原則として長の権限のすべてに及ぶが、議会の招集権、議案の発案権、議会の解散権、副知事・副市町村長の任命など長たる地位又は身分に付随する一身専属的な権限には及ばないと解される。

(1)**法定代理** 長に事故があるとき又は長が欠けたときは、副知事又は副市町村長がその職務権限を代理することとなる。副知事や副市町村長にも事故があり、又は欠けたときは、長の指定する職員が職務を代理し、なお職務代理者がないときは、上席の事務職員がその職務を代理する（152条）。

(2)**授権代理** 長の権限に属する事務の一部を補助機関である職員に臨時に代理させるものである（153条1項）。代理された事務は長の権限に属するので、長は、代理者に対して指揮監督できるとともに、いつでも代理関係の変更・消滅ができる点で法定代理と異なる。

2 長の権限の委任

長の権限の一部を他の者にゆだね、委任を受けた者がそれを自己の名と責任において行使するものである。委任には、法の根拠が必要である。

長がその権限を委任することができるのは、その補助機関である職員、その管理に属する行政庁であるが（153条）、このほか、その地方公共団体の委員会、委員会の委員長・委員、これらの執行機関の事務を補助する職員、それらの執行機関の管理に属する機関の職員に対しても委任することが認められている（180条の2）。委任の範囲は原則として長の権限のすべてに及ぶが、議会の招集権、議案の発案権、議会の解散権、副知事・副市町村長の任命など長たる地位又は身分に付随する一身専属的な権限には及ばないと解される。なお、職員やその管理に属する行政庁に委任した場合には、長は自ら処理する権限を失うが、それらに対する指揮監督権を有する。

3 補助執行

長の権限を内部的に補助し、執行させるものである。補助執行については、長の補助機関に内部的な最終の意思決定を行わせ、対外的な表示は長の名でする専決・代決が広く行われている。

■関連法条／地方自治法152条、153条、180条の2

◉キーワード／職務代理　法定代理　授権代理　権限の委任　補助執行
専決・代決

【問題】長の権限の代行制度に関する次の記述のうち、妥当なものはど
れか。

❶　住民は、長の職務代理者についても、解職の請求をすることができる。

❷　長の権限の委任があった場合においても、長は当該事務に関する権限
を全面的に失ったわけではなく、緊急又は必要な場合には自らこれを処
理することができる。

❸　長は、法定受託事務の執行については、委任することができない。

❹　副知事・副市町村長は、長の権限に属する事務の一部について委任を
受けてその事務を執行するものとされており、その場合にも委任につい
て告示することを要する。

❺　都道府県知事が支庁長に委任した事務は、さらに支庁長においてこれ
を市町村長に委任することができる。

【解説】

❶　誤り。職務代理者は、地方公共団体の長そのものではないから、長の
身分に応じて設けられた解職制度については、職務代理者に適用される
余地はないと解される。

❷　誤り。委任がなされた時点で長の権限は受任者に移るので、長は、自
らその権限を行使することはできない。必要な場合は、委任を解除すれ
ばよい。

❸　誤り。長は、原則として、一身専属的な権限を除き、その権限に属す
る事務であればいかなる事務でも委任することができると解され、その
事務が法定受託事務であっても差し支えない。

❹　正しい。なお、その場合にも、地方自治法153条の手続によるものと
されている（167条2・3項）。

❺　誤り。委任を受けた事務を受任者がさらに他に委任すること（再委
任）は、地方自治法153条の解釈上できないと解される。　【正解　❹】

長の補助機関と補助組織

1　長の補助機関

　地方公共団体の長の職務執行を補助することを任務とする機関をいう。

(1)**副知事・副市町村長**（161条）　長の最高補助機関であり、都道府県に副知事、市町村に副市町村長が条例で定める定数置かれる。

(2)**会計管理者**（168条）　普通地方公共団体に置かれ、地方公共団体の会計事務をつかさどる。また、その事務を補助させるため出納員その他の会計職員も置かれる（171条）。

(3)**職員**（172条）　普通地方公共団体には職員が置かれ、長がこれを任免するが、その定数については臨時・非常勤の職を除き条例で定める。

(4)**専門委員**（174条）　行政の専門化の傾向に対処するために、常設又は臨時に設置される非常勤の職員であり、専門の学識経験を有する者の中から長が選任する。

2　長の補助組織

　長の権限に属する事務を分掌するための組織である。

(1)**内部組織**（158条）　普通地方公共団体の長は、その権限に属する事務を分掌させるため、必要な内部組織を設けることができる。長の直近下位の内部組織の設置及びその分掌する事務については、条例で定めるものとされ、また、長は、内部組織の編成に当たっては、その普通地方公共団体の事務及び事業の運営が簡素かつ効率的なものとなるよう十分配慮することが求められている。

(2)**地方出先機関**　長の権限に属する事務全般にわたって地域的に分掌する総合出先機関と特定の事務のみを地域的に分掌する特別出先機関がある。

①**総合出先機関**（155条）　長は、その権限に属する事務を分掌させるため、条例で、都道府県にあっては支庁及び地方事務所、市町村にあっては支所又は出張所を設けることができる。その位置、名称及び所管区域は、条例で定めなければならない。支庁・地方事務所・支所の長は、長の補助機関である職員をもって充てられる。

②**特別出先機関**（156条）　長は、法律又は条例の定めるところにより、保健所、警察署等の行政機関を設ける。その位置、名称及び所管区域は、条例で定める。

■関連法条／地方自治法155条、156条、158条、161条〜175条
◉キーワード／副知事・副市町村長　会計管理者　職員　専門委員　内部組織　地方出先機関

> 【問題】長の補助機関と補助組織に関する次の記述のうち、妥当なものはどれか。

❶　長は、その権限に属する事務を分掌させるため、条例で、総合出先機関を設けることができるが、その条例の制定改廃については、出席議員の3分の2以上の賛成を要する。

❷　副知事又は副市町村長は、普通地方公共団体に必ず1人置く必要がある。

❸　長が副知事又は副市町村長を選任し、又は解職するに当たっては、議会の同意を要する。

❹　会計管理者は普通地方公共団体の会計事務をつかさどる一般職であり、長が職員のうちから任命する。

❺　長の内部組織の設置及びその分掌する事務については、条例で定めるものとされており、その最も下位の組織についてのみ規則で定めることができる。

解説

❶　誤り。総合出先機関に関する条例については、特別多数は要求されていない（155条）。

❷　誤り。都道府県には副知事、市町村には副市町村長を置き、その定数は条例で定めることとされているが、条例で置かないこともできる（161条）。

❸　誤り。選任についてはその地位・職責の重要性にかんがみ、議会の同意を要件としているが、解職については要件とされていない。

❹　正しい。会計管理者は、長が職員のうちから命ずるものであり、必ず1人を置くこととされている（168条）。

❺　誤り。長の直近下位の内部組織の設置及びその分掌事務についてのみ条例で定めることが要求されている（158条1項）。　　　　【正解　❹】

副知事・副市町村長・会計管理者

1 副知事・副市町村長

(1)**地位** 副知事・副市町村長は、長の最高補助機関であり、副知事は都道府県、副市町村長は市町村に置かれる。その定数は条例で定めるものとされているが、条例でこれを置かないこともできる（161条）。副知事・副市町村長は、長が議会の同意を得て選任する（162条）。

(2)**任期** 副知事・副市町村長とも4年であるが、長は任期中に解職することができ（163条）、住民による解職請求も認められている。

(3)**資格** 長に準じた取扱いであり、選挙権・被選挙権の欠格事由に該当する者は副知事・副市町村長になることができない（164条）。国会議員、地方公共団体の議会の議員、常勤の職員、検察官、警察官、収税官吏などとの兼職が禁止されるほか、地方公共団体に対する請負、請負をする法人の役員となることが制限されている（166条）。

(4)**職務** ①長を補佐し、②長の命を受け政策・企画をつかさどり、③長の補助機関である職員の担任する事務を監督し、④長の委任を受けてその事務の一部を執行し（167条）、⑤長に事故があるとき又は長が欠けたときには長の職務を代理する（152条1項）。

2 会計管理者

(1)**地位** 会計管理者は、その地方公共団体の会計事務をつかさどる者であり（170条1項）、普通地方公共団体に1人が置かれる（168条1項）。会計管理者は、長が、その補助機関である職員のうちから命ずることとされており（168条2項）、従来の出納長・収入役とは異なり議会の同意を要さず、特別職とはされていない。なお、長、副知事・副市町村長、監査委員と親子・夫婦・兄弟姉妹の関係にある者は会計管理者となることができない（169条）。

(2)**職務** 現金などの出納・保管、小切手の振出し、現金・財産の記録管理、支出負担行為の確認、決算の調製・長への提出等（170条2項）。

(3)**その他** 会計管理者に事故がある場合には、長は、その補助機関である職員にその事務を代理させることができる。また、会計管理者の事務を補助させるため、長が職員のうちから命じる出納員その他の会計職員を置くものとされているが、町村では、出納員を置かないことができる。

■関連法条／地方自治法161条～171条

◉キーワード／副知事　副市町村長　会計管理者　出納員　会計職員　長の補助機関

【問題】長の補助機関に関する次の記述のうち、妥当なものはどれか。

❶　副知事・副市町村長の定数は１人とされ、条例でその数を増加することができるが、これを置かないとすることはできない。

❷　会計管理者は、条例でこれを置かないこともできるが、その場合、長は、その補助機関である職員にその事務を代理させるものとされている。

❸　長は、会計管理者の事務を補助させるため、出納員その他の会計職員を置くことができ、その場合には、会計管理者は、その事務の一部を出納員その他の会計職員に委任することができる。

❹　長の職務を代理する副知事・副市町村長が、退職しようとするときは、その20日前までに、長に申し出なければならない。

❺　長は、副知事・副市町村長について、その任期の途中でも一方的にその判断により解職することができる。

解説

❶　誤り。副知事・副市町村長の定数は条例で定めるものとされ、条例で置かないこともできる（161条）。

❷　誤り。会計管理者については１人を置き、職員のうちから命ずるものとされており、置かないとすることは認められていない（168条）。

❸　誤り。出納員その他の会計職員は、町村の出納員を除き必置とされ（171条１項）、また、出納員その他の会計職員への委任は、会計管理者の判断ですることはできず、長が会計管理者をして出納員に委任させ、次に当該出納員をしてさらに出納員以外の会計職員に委任させることになる（171条４項）。

❹　誤り。長の職務を代理する副知事・副市町村長が退職する場合の申出先は、長と同様に議会の議長とされている（165条）。

❺　正しい。任期は４年であるが任期途中での解職が認められており、その場合には議会の同意も不要である（163条）。　　　　　【正解　❺】

長と議会の関係

1 首長制

　我が国の地方自治制度では首長制が採用されている。長と議会が共に直接住民によって選挙され、それぞれの職務権限についておのおのが直接住民に対して責任を負う二元的な政治制度（二元代表制）である。これは、1つの政治勢力による独裁化を防ぎ、相互の牽制と調和によって公正な行政を確保するとともに、執行機関の地位を一定期間保障することにより地方行政の安定を図るためのものである。

2 長と議会の自主性

　長と議会には、独立して自主的に機能が果たせるようそれぞれ明確に権限が配分されている。議会の権限は、議決権をはじめとして広範にわたり、議決権については条例により対象を拡大することも認められているものの、原則として法令の規定により認められたものに限られ、それ以外は長その他の執行機関の権限の下で意思決定及び事務執行がなされる。

3 議会による長の牽制

　議会による長の牽制方法としては、広くは、議決権があり、そのほか、議会に対する長の出席報告の要求権、意見表明、長の行政に対する同意・承認の権限、議決の執行の検査、事務調査などの権限が挙げられる。なお、長の議会への出席は、議会の審議に必要な説明のため議長から求められたときに受動的に議場出席義務が生じるにとどまるものである。

4 長と議会が対立した場合の長による調整

　長は、議会の議決、選挙等が違法不当であると認めるときは、その是正又は再考を求めるための手段として再議に付することが認められている（176条、177条）。また、議会がその職責を十分に果たさないときには、議会に代わって、長がその権限を行使する専決処分をすることができる（179条）。

5 不信任議決と議会の解散

　長と議会の対立が調整困難であるときは、選挙による住民の審判を通じて最終的に解決される。そのための手段として、長に対する議会の不信任議決と、これに対抗する長の議会解散権が、認められており（178条）、この場合には、長又は議会の議員のいずれかの選挙が行われることになる。

■関連法条／地方自治法176条～180条

●キーワード／首長制　再議制度　専決処分　不信任議決　議会の解散

> 【問題】長と議会の関係に関する次の記述のうち、妥当なものはどれか。

❶　長は、議会において非常災害費等を削除・減額する議決があったときは、その判断により、これを再議に付すことができる。

❷　地方公共団体の長については、首長制が採用され、長と議会の関係では、アメリカの大統領制と同様に、厳格な権力分立が採用され、議院内閣制に特徴的な要素は一切排除されている。

❸　長は、議会の開会中は、いつでも議会に出席することができる。

❹　長は、議会が議決すべき事件を議決しないときだけでなく、議会を招集する時間的余裕がないときにも、専決処分を行うことができる。

❺　議会の議決が違法なものであっても、長が再議に付さない限り当該議決は有効であり、議会は、場合を問わず、議決の瑕疵を治癒できない。

解説

❶　誤り。予算一般の議決と異なり、長は、これを再議に付さなければならない。再議に付してもなお同じ議決であるときは、長はその議決を不信任議決とみなして解散権を行使できる（177条2項2号・4項）。

❷　誤り。長については首長制が採用されているものの、長と議会の関係においては、長の議案提出権、議会による不信任議決と長による議会の解散など議院内閣制の要素が取り入れられている。

❸　誤り。国の場合には、内閣総理大臣その他の国務大臣は、議案について発言するためいつでも議院に出席することができる（憲法63条）。しかし、地方公共団体の場合には、議長が長の議会への出席を要求した場合にのみ出席することになっている（121条）。

❹　正しい。地方自治法179条では、専決処分をできる場合として、設問の場合をはじめ4つの場合を規定している。

❺　誤り。長が議会の議決に基づいて執行等を行っていなければ、議員発議により、議決の瑕疵を治癒するために、前の議決に代えて、適法な議決をすることができる場合もありうる。　　　　　　　　　　【正解　❹】

再議制度

　再議とは、長が、議会の議決又は選挙を拒否して、再度の審議及び議決等を要求する制度である。この制度は、長と議会との間に対立がある場合に、長の側からこの対立を調整する手段として認められるもので、国の関与を排除するという意味もある。首長制を採用する場合に特徴的な調整制度であり、長の拒否権ととらえることができる。異議があれば発動できる一般的拒否権、特別の要件を必要とする特別拒否権がある。

1　一般的拒否権（176条1～3項）

　議会における議決について異議がある場合は、長は、その議決の日（条例の制定改廃又は予算に関する議決については、その送付を受けた日）から10日以内に理由を示して再議に付すことができる。異議の内容には制限がなく、長が執行することが不適当と認めるものはすべて再議に付しうる。再議に付さない限り条例・予算は成立するが、再議に付した場合は議決の効力は停止される。再議の結果、出席議員の過半数（条例の制定改廃又は予算に関するものについては3分の2以上の多数）で同じ議決がなされると、その議決は確定し、長は拒否できなくなる。過半数（条例の制定改廃又は予算に関するものについては3分の2以上）の同意がなければ、再議に付された議決は成立しない。

2　特別拒否権

⑴**違法な議決又は選挙**（176条4～7項）　その権限を超え又は法令・会議規則に違反すると認めるときは、長はその理由を示してこれを再議に付し又は再選挙を行わせなければならない。その結果に不服があれば、総務大臣又は都道府県知事に対する審査の申立て及び出訴ができる。

⑵**義務費又は非常災害費等の削減**（177条1～3項）　①法令により負担する経費（生活保護費等）、法律の規定に基づき当該行政庁の職権により命ずる経費（都市計画分担金等）その他の地方公共団体の義務費（損害賠償金、契約代金等）又は②非常災害費・感染症予防費の削減の議決をしたときは、長は、理由を示して再議に付さなければならない。再議の結果なお議決が改められないときは、長は、①の場合は原案どおり執行ができ、②の場合はその議決を不信任の議決とみなすことができる。

■関連法条／地方自治法176条、177条

●キーワード／再議　長の拒否権　一般的拒否権　特別拒否権

【問題】再議制度に関する次の記述のうち、妥当なものはどれか。

❶　条例又は予算の議決に異議がある場合には、長は、いつでも理由を示して再議に付すことが可能である。

❷　長が示した再議に付す理由について議会が理由なしと認めても、議会は再議そのものに応じないということはできない。

❸　長は、条例又は予算の議決の一部に異議があるときは、その部分に限って再議に付すことができる。

❹　議会の議決又は選挙がその権限を超え又は法令・会議規則に違反すると認めるときは、長は再議に付さなければならず、その結果に不服があれば、再議決又は再選挙の日から60日以内に裁判所に出訴できる。

❺　長は、議会が法令により負担する経費など地方公共団体の義務に属する経費を削減する議決をした場合は、議会を解散することができる。

解説

❶　誤り。再議に付すことができる期限については、その送付を受けた日から10日以内と定められている（176条１項）。なお、送付を受けた日から10日以内であれば、同一会期中でなくても差し支えない。

❷　正しい。再議に付す場合に必ず理由を示さなければならないのは、問題の焦点を明確にした上で議会に再考を促すようにするためである。議会が再議決をしないときは、長は専決処分をなしうる（179条１項）。

❸　誤り。条例又は予算の議決は１個の議決であって、異議のある部分だけを再議に付すことはできないと解される。

❹　誤り。再議決又は再選挙の日から21日以内に総務大臣又は都道府県知事に審査を申し立て、その裁定に不服があるときは、裁定のあった日から60日以内に裁判所に出訴できる（176条５～７項）。

❺　誤り。長は、理由を示して再議に付さなければならず、議会の議決がなお改められないときは、長は、その経費及びこれに伴う収入を予算に計上し、その経費を支出できる（177条１項１号・２項）。　【正解　❷】

専決処分の制度

　専決処分とは、議会の権限に属する事項について、長が、議会に代わってその権限を行使することを認める制度であり、法律の規定による専決処分（179条）と、議会の議決による専決処分（180条）とがある。

1　法律の規定による専決処分

⑴**要件**　専決処分ができるのは、①議会が成立しないとき（議員が総辞職して選挙されない間、在職議員数が定数の半数に満たないときなど会議を開くことも招集することもできない場合）、②地方自治法113条ただし書の場合においてなお会議を開くことができないとき（議長のほか出席議員が1名以下の場合）、③長において特に緊急を要するため議会を招集する時間的余裕がないことが明らかであると認めるとき（急を要する案件の場合）、又は④議会が議決・決定をすべきであるにもかかわらず議決・決定をしないとき（天変地異のため議決を得られない場合等）である。ただし、副知事又は副市町村長の選任の同意については、専決処分によることができない。

⑵**効果**　専決処分をしたときは、議会の議決又は決定を経たのと同じ効果を生ずる。長は次の会議においてこれを議会に報告し、その承認を求めなければならない（179条3項）。承認は長の処分の責任を解除するものであるから、承認が得られなくても、既に行った専決処分の効力には影響しないが、条例の制定改廃又は予算の場合は、長は速やかに必要と認める措置を講ずるとともに、議会に報告しなければならない（179条4項）。

2　議会の委任による専決処分

　議会の権限に属する軽易な事項で、その議決により特に指定したものについては、長において専決処分することができる（180条1項）。長は、これを議会に報告しなければならないが（180条2項）、議会の承認を求めることは要件とされていない。

　専決事項の指定は、任意代理的性格を有するが、委任された事項は長の権限に移ると解されるので、当該委任を解除しない限り議会は議決権を有しない。委任できる事項は、原則として団体意思の決定に係る議決権であり、選挙、決定、同意等の権限は、議会自ら行使すべきものである。

■関連法条／地方自治法179条、180条

●キーワード／専決処分　法律の規定による専決処分　議会の委任による専決処分

【問題】専決処分の制度に関する次の記述のうち、妥当なものはどれか。

❶　長は、法令により負担する経費その他の地方公共団体の義務に属する経費に係る予算が議会で否決されたときは、議会が開かれている場合であっても、専決処分によって当該経費を支出することができる。

❷　長は、議会の議決により特に指定した軽易な事項について専決処分ができるが、議会は、いったん指定した事項については、将来に向かってその指定を廃止する議決はできない。

❸　議会の委任による専決処分をした長が、これを議会に報告しなかったときは、この専決処分については撤回したものとみなされる。

❹　長は、議会が不成立の場合には専決処分をできるが、それについて議会の事後承認が得られない場合でも、その法律上の効力には影響がない。

❺　議会開会後、天変地異のために議決が行われる見通しが立たないときは、議会の故意によるものではないから、長は専決処分を行えない。

解説

❶　誤り。地方自治法179条1項による専決処分は、議会が機能しないときのための制度であり、議会は機能しているが議会と長が対立しているときについては、再議の制度によるべきである。

❷　誤り。議会の指定行為は、委任に該当するものであるから、議会は任意に当該指定行為を解除することができると解される。

❸　誤り。議会に報告しなくても、長の政治責任は別として、当該行為の効力には影響がない。したがって、撤回されたものとはみなされない。

❹　正しい。議会の承認は長の行った処分の責任を解除するものであり、承認が得られない場合でも、長の政治的責任の問題は別として、既に行った専決処分の法律的な効力には影響しない。

❺　誤り。議会の議決を得られない原因は、必ずしも議会の故意による場合に限定されず、外的事情が原因の場合も含まれうる。　　【正解　❹】

議会による長の不信任と議会の解散

1　長の不信任と議会の解散の意義

　地方公共団体では、議会の議員と長はともに選挙によって選ばれたものであり、それぞれ、独立の立場で相互に抑制し、両者の均衡と調和の上に地方行政の運営が進められていくべきものとされている。しかしながら、長と議会が対立し、通常の調整手段では、その関係を修復することが困難な状態に至った場合には、地方自治の趣旨にのっとり、地方公共団体内部で解決することが妥当である。このための最終的な手段として、両者が公選されるものであることを考慮し、議会には長に対する不信任議決権が与えられ、長にはこれに対抗する手段として議会解散権を認め、最終的には選挙によって住民の意思を問うこととしている。

2　不信任議決の要件

　議会が長の不信任議決をできる場合については、法律上の特別な制限はなく、理由のいかんを問わず、所定の手続（議員数の3分の2以上の者が出席し、その4分の3以上の者の同意を要する（178条3項））により行われた不信任議決はすべて有効である。また、不信任案を可決した場合に限らず、辞職勧告決議あるいは信任案の否決も、不信任議決の内容を有することが明らかで法定の要件を満たしている限り、不信任議決とされる。しかし、副知事、副市町村長の選任同意案件等は、これを否決しただけで不信任議決とみなすことはできない。

　他方、議会が、非常災害応急費・感染病予防費を削除又は減額したときで、長が再議に付してもなおこれを削除又は減額された場合には、長はそれを不信任議決とみなすことができる（177条1項2号・3項）。

3　不信任議決の効果

　不信任議決の効果としては、それにより長又は議会の議員のいずれかがその職を失うことにより、その対立関係が解消され、新しい機関が選挙される。すなわち、長は、不信任議決の通知を受けた日から10日以内に議会を解散しない限り、その職を失う。さらに、解散後初の議会において議員数の3分の2以上の者が出席し、過半数により再び不信任の議決があったときは、長はその職を失う（178条2・3項）。

■関連法条／地方自治法177条、178条
●キーワード／不信任議決権　議会解散権

> 【問題】普通地方公共団体の長と議会との関係に関する次の記述のうち、妥当なものはどれか。

❶　長は、住民による解職請求が議会によって認められたときは、失職する。

❷　議会において不信任議決がなされたときは、長は、その通知を受けた日から10日以内に議会を解散しなければ、失職する。

❸　長は、法令により負担する経費など地方公共団体の義務に属する経費について再議に付しても、議会がなお当該経費を削除・減額した場合は、その議決のとおり執行するか、又は議会を解散することができる。

❹　不信任議決に対し長が議会を解散した場合には、その解散後初めて招集された議会において議員数の3分の2以上の者が出席し、その4分の3以上の者の同意により再び不信任の議決があったとき、長は失職する。

❺　議会が長に対する不信任議決を行うに当たって理由とすることができる事項は、長が心身の故障のため職務に耐えられないこと又は長たるに適さない非行があることに限られ、長の政治的信条を理由とすることはできない。

解説

❶　誤り。長に対する住民の解職請求は、直接請求の1つであり、議会とは無関係である。長に対する住民の解職請求が行われた場合、これに基づく住民投票で過半数の同意があったときに、長は失職する（83条）。

❷　正しい（178条2項）。

❸　誤り。設問の場合、長には原案執行権がある（177条2項）が、当該議決を不信任議決とみなして議会を解散することはできない。非常災害応急費など緊急重要経費の場合（同条3項）との違いに注意。

❹　誤り。解散後の不信任の議決については、議員数の3分の2以上の者が出席し、その過半数の者の同意がなければならない（178条3項後段）。

❺　誤り。長を不信任とする理由に制限はない。　　　　【正解　❷】

委員会・委員

1 委員会・委員の意義

　地方公共団体の執行機関としては、長のほかに、長から独立した地位と権限を有する委員会及び委員が設けられている。このように多元主義を採用することにより、長への権力の集中を防止し、行政の中立的な運営と民主性を確保することを目指した行政組織となっている。委員会・委員は、法律の定めるところにより設置される（138条の4第1項）。委員会・委員は、その目的に沿った行政権を担当し、その調査、企画、立案及び執行を行うが、予算の調製・執行、議案の提出、地方税の賦課徴収、分担金などの徴収、過料の賦課、決算の提出の権限は有さない（180条の6）。

2 委員会・委員の特色

(1)**委員会の特色**　委員会・委員は、その多くが複数の構成員からなる合議制の機関（監査委員は独任制の機関）で、自らの責任において、その職務権限に属する事務を管理し、執行する。委員会・委員の特色は、次のとおり。①独立して職権行使に当たること。すなわち、長の所轄の下にあるが、具体的な職権行使については指揮監督を受けないということ。②その委員の身分保障があること。③行政的権能のほか、規則その他の規程の制定等の準立法的権能及び争訟の判定等の準司法的権能を有するものがあること。

　委員会・委員は、政党又は政治の影響から中立であるべき行政（選挙管理委員会等）、特に技術的・専門的知識を要する行政（収用委員会等）、相対立する利害の調整を要する行政（労働委員会等）等の場合に利用されている。

(2)**委員の特色**　委員は、原則として非常勤であるが（180条の5第5項）、例外として、法律の特別の定めにより、識見を有する者から選任される監査委員、人事委員会の委員及び土地収用委員会の委員は常勤とすることができる。委員は議会の同意又は選挙、住民の選挙等により選任される特別職（地方公務員法3条3項2号）とされ、一定の任期の定めがあり、その意に反して罷免されることはなく職務の独立性が保障されている（184条の2等）。政治的中立性の確保のため、委員の政党所属に関し制限が設けられている。また、委員は、地方公共団体の職務に関し請負をする者等であってはならない（180条の5第6・7項）。

■関連法条／地方自治法138条の４第１・２項、180条の５～180条の７

◉キーワード／委員会　委員　多元主義　合議制　準立法的権能　準司法的権能

> 【問題】委員会・委員に関する次の記述のうち、妥当なものはどれか。

❶　委員会・委員の設置については、必ず法律によらなければならないが、委員会の構成、所掌事務等は条例などで定めてもよい。

❷　法律の定めるところにより都道府県に置かなければならない委員会としては、教育委員会、選挙管理委員会、公安委員会、農業委員会及び固定資産評価審査委員会が挙げられる。

❸　委員会は、合議制の機関として、長の所轄の下に置かれ、長の指揮監督の下にその職務権限を行使する。

❹　委員会は、行政執行の前提として必要な審査及び調査を行う機関であり、自ら行政を執行することはできない。

❺　委員会については、法律の定めるところにより、その事務に関し、規則その他の規程を制定することができるものと規定されている。

解説

❶　誤り。地方公共団体の執行機関の設置は、地方公共団体の根本組織に関することであるとの理由から、必ず法律をもって定めなければならないとされ（138条の４第１項）、単に設置のみならず、委員会・委員の構成、所掌事務等についても法律で定めるものと解されている。

❷　誤り。農業委員会及び固定資産評価審査委員会は、市町村に置くべき委員会である（180条の５第１～３項）。

❸　誤り。委員会は、長から独立した執行機関として、自らの判断と責任において所掌事務を管理・執行する義務を負っている（138条の２等）。

❹　誤り。委員会は、地方公共団体の執行機関である。設問は、附属機関について述べたものである。

❺　正しい。委員会については、規則制定権を認める規定が置かれている（138条の４第２項）。これにより法律をもって個別に認められたものが委員会の準立法的権能と呼ばれるものである。　　　　【正解　❺】

委員会の種類

　普通地方公共団体（都道府県及び市町村の両方）に置かれる委員会及び委員、都道府県に置かれる委員会並びに市町村に置かれる委員会は、次のとおりである。

⑴**普通地方公共団体に置かれる委員会・委員**

①**教育委員会**（180条の8）　教育委員会は、学校その他の教育機関を管理し、学校の組織編成、教育課程、教科書その他の教材の取扱い及び教育職員の身分取扱いに関する事務を行い、並びに社会教育その他教育、学術及び文化に関する事務を管理執行する。②**選挙管理委員会**（181条〜194条）

　選挙管理委員会は、法律やこれに基づく政令により、その地方公共団体が処理する選挙に関する事務及びこれに関係のある事務を管理するものである。③**人事委員会・公平委員会**（202条の2第1・2項）　人事委員会は、人事行政に関する調査、研究、企画、立案、勧告などを行い、職員の競争試験及び選考を実施、職員の勤務条件に関する措置の要求などを審査し、必要な措置を講ずる（同条1項）。公平委員会は、職員の勤務条件に関する措置の要求などを審査し、必要な措置を講ずる（同条2項）。④**監査委員**（195条〜202条）普通地方公共団体の財務・経営事業の管理・事務の執行・出納等について監査を行うものである。

⑵**都道府県に置かれる委員会**

①**公安委員会**（180条の9）　都道府県警察を管理するもので、都道府県知事の所轄の下に置かれる（警察法38条1項）。②**労働委員会**（202条の2第3項）　労働組合の資格の立証・証明、不当労働行為に関する調査・審問・命令、労働争議のあっせん・調停・仲裁などの労働関係に関する事務を執行する。③**収用委員会**（202条の2第5項）　土地の収用に関する裁決その他の事務を行う。④**海区漁業調整委員会・内水面漁場管理委員会**（202条の2第5項）　漁業調整のため、必要な指示その他の事務を行う。

⑶**市町村に置かれる委員会**

①**農業委員会**（202条の2第4項）　自作農の創設・維持、農地等の利用関係の調整、農地の交換分合その他農地に関する事務を執行。②**固定資産評価審査委員会**（202条の2第5項）　固定資産税に関し、固定資産課税台帳に登録された事項に関する不服審査の審査決定その他の事務を行う。

■関連法条／地方自治法180条の 8 ～202条の 2

◉キーワード／**教育委員会　選挙管理委員会　人事委員会・公平委員会**
監査委員　公安委員会　労働委員会　収用委員会　海区漁業調整委員
会・内水面漁場管理委員会　農業委員会　固定資産評価審査委員会

【問題】委員会・委員に関する次の記述のうち、妥当なものはどれか。

❶　委員会・委員は、普通地方公共団体のみに置かれ、特別地方公共団体
には置かれない。

❷　人事委員会はすべての都道府県及び市町村に置かれなければならない。

❸　労働委員会については、不当労働行為に関する調査、審問や命令、労
働争議のあっせん、調停、仲裁等を行うため公平性が要求され、使用者
関係や労働組合関係の者は委員にはなれない。

❹　選挙管理委員会は、その地方公共団体の長や議会の議員の選挙に関す
る事務のみを処理する。

❺　農業委員会は市町村に置かれるが、農地のない市町村には置かれない。

解説

❶　誤り。例えば、教育委員会は特別区にも置かれ、選挙管理委員会は特
別区のほか、特別地方公共団体ではないが指定都市の区にも置かれる。

❷　誤り。人事委員会の設置が義務付けられるのは都道府県と指定都市で
あり、人口15万未満の市、町村と地方公共団体の組合は公平委員会を設
置、指定都市以外の人口15万以上の市と特別区はいずれかを設置するこ
ととされている（地方公務員法 7 条）。

❸　誤り。使用者団体の推薦に基づく使用者委員、労働組合の推薦に基づ
く労働委員及び使用者委員と労働者委員の推薦に基づく公益委員の三者
構成である（労働組合法19条の12第 2 項）。

❹　誤り。衆議院議員又は参議院議員の選挙、最高裁判所裁判官の国民審
査等に関する事務も処理する。

❺　正しい。その区域内に農地がない市町村には農業委員会は置かないも
のとされている（農業委員会等に関する法律 3 条 1 項）。

【正解　❺】

監査委員

1 監査委員制度の意義

　監査委員は、行政の適法性・妥当性の確保のため、その地方公共団体の財務に関する事務の執行、その団体の経営する事業の管理、地方公共団体の事務の執行、公共団体の出納などを監査するものである。毎会計年度1回以上財務に関する事務の執行、経営する事業の管理について監査するほか、任意に、また他からの要求を受けて監査する。

　監査委員は普通地方公共団体に置かれるものとされ、その定数は、①都道府県と人口25万以上の市は4人、②その他の市と町村は2人とされているが、条例で増加することもできる（195条）。広域連合、一部事務組合等の組合にも、都道府県加入の有無、一定規模以上の市の加入の有無等によって、一定数の監査委員を置くものとされている（292条）。

2 監査委員の選任等

　監査委員の選任は、長が、識見を有する者と議員のうちから、議会の同意を得て行う（196条1項）。その場合、議員のうちから選任する監査委員の数は、①の場合は1～2人、②の場合は1人とされるが、条例により議員から選任しないこともできる。また、監査委員の独立性を確保するため、識見を有する者のうちから選任される監査委員の数が2人以上である場合には、少なくともその数から1を減じた数以上はその地方公共団体の常勤の職員の経歴を有さない者でなければならない（196条2項）。このほか、監査委員は、常勤の職員等と兼ねることができないほか（196条3項）、衆議院議員、参議院議員、検察官、警察官、収税官吏、公安委員会委員と兼ねることができず、選挙権・被選挙権を有しない者も監査委員となることができない（201条）。また、長、副知事・副市町村長と親子・夫婦・兄弟姉妹関係にある者の就任が禁止されている（198条の2）。監査委員は非常勤が原則だが、識見を有する者のうちから選任される監査委員は常勤とすることができ、都道府県及び人口25万以上の市においては少なくとも1人以上は常勤としなければならない（196条4・5項）。監査委員は、心身故障、職務上の義務違反があったとき等一定の場合を除き、その意に反して罷免されることはない（197条の2）。なお、監査委員が退職するには、長の承認が必要である（198条）。監査委員には、常設又は臨時の監査専門委員を置くことが可能である（200条の2）。

■関連法条／地方自治法195条〜202条の2
◉キーワード／監査委員　監査　財務監査　行政監査　監査専門委員

【問題】監査委員に関する次の記述のうち、妥当なものはどれか。

❶　監査委員は、監査に必要な調査は自ら行わなければならず、専門の学識経験者等から意見を聴くことはできても、必要な調査を委託することはできない。

❷　監査委員は、その地方公共団体の財務に関する事務の執行について監査をした場合、その判断によりその監査結果を公表することもできる。

❸　監査委員は、必要があると認めるときは、政令で定めるものを除き、その地方公共団体の事務全般の執行を監査できる。

❹　監査委員は、監査のため必要があると認めるときでも、関係人の出頭を求めたり、関係人について調査したりすることはできない。

❺　監査委員は、職務上の義務違反その他監査委員たるに適しない非行があった場合には、長の判断のみをもって罷免される。

解説

❶　誤り。監査委員に常設又は臨時の監査専門委員を置き、必要な調査を委託することができる（200条の2）。監査専門委員は、代表監査委員が各委員の意見を聴いて選任するものとされ、非常勤である。

❷　誤り。監査委員は、監査結果を議会、長及び教育委員会等の関係機関に提出し、かつ、これを公表しなければならない（199条9項）。公表は、公報等に掲載し、常に行わなければならない。

❸　正しい。監査の対象は、政令で定める自治事務又は法定受託事務を除き、地方公共団体の事務全般である（199条2項）。

❹　誤り。監査委員の権能を強化するため、必要に応じ、関係人に対し、出頭、調査、帳簿等の提出を求めることができることとされている（199条8項）。関係人は、これに応じる法律上の義務があるが、応じない場合において強制することはできない。

❺　誤り。長の判断により議会の同意を得て罷免することができるが、この場合には議会の委員会で公聴会を開くことが要件とされている（197条の2第1項）。　　　　　　　　　　　　　　　　　【正解　❸】

長と委員会・委員の関係

1　長と委員会・委員の協力関係

　委員会・委員は、長から独立してその職務を執行するが、その結果、地方公共団体の総合的行政運営が妨げられたり、機構の複雑膨大化、事務処理の非能率化等を生じるおそれがある。そこで、地方公共団体の執行機関の組織の原則として、①組織は、長の所轄の下に、明確な範囲の所掌事務と権限を有する執行機関により系統的に構成されなければならない、②執行機関は、長の所轄の下に、執行機関相互の連絡を図り、一体として行政機能を発揮しなければならないものとされている（138条の3）。

　組織機構・職員の膨大化を防ぎ、組織及び運営の合理化・効率化を図るため、両者の間に、次のような協力関係が定められている。

　第1に、長は、その事務の一部を、委員会・委員と協議して、委員会、委員長、委員若しくはこれらの補助職員等に委任し、又はこれらの補助職員等をして補助執行させることができる一方（180条の2）、委員会・委員は、その事務の一部を、長と協議して、長の補助機関である職員等に委任し、又はその補助機関である職員等に補助執行させることなどができる（180条の7）。

　第2に、長は、委員会・委員と協議して、その補助機関である職員を、これらの執行機関の補助職員等と兼ねさせ、若しくは補助職員等に充て、又はこれらの執行機関の事務に従事させることができる（180条の3）。

2　委員会・委員に対する長の調整権

　長は、地方公共団体を統轄・代表するという地位に基づき、委員会・委員に対して、その自主性・独立性を損なわない範囲で、各種の調整機能を果たす権限を与えられている。具体的には、①予算の調製及び執行、②議会の議決を経るべき事件についての議案の提出、③地方税の賦課徴収、分担金・加入金の徴収等、④決算の提出の各権限は長に専属することとされるほか（180条の6）、長には、組織人事に関する総合調整権（勧告権・長への協議）、予算執行に関する総合調整権（報告の請求・調査・必要な措置の要求）及び公有財産に関する総合調整権（報告の請求・調査・必要な措置の要求）が認められている（180条の4、221条1項、238条の2第1・2項）。

■関連法条／地方自治法180条の2〜180条の4、180条の7、221条、238条の2

◉キーワード／多元主義　委員会・委員の独立性　長の総合調整権

> 【問題】長と委員会・委員との関係に関する次の記述のうち、妥当なものはどれか。

❶　委員会・委員は、その所管する事務について、予算を調製することができず、また、議会に議案を提出することができない。

❷　委員会は、その権限に属する事務について、長の補助機関に委任し、又は補助執行させることはできない。

❸　長は、委員会の独立性を確保し、中立的な運営を図るという趣旨から、長の事務部局の職員を委員会の事務職員と兼務させることはできない。

❹　長は、必要があると認めるときは、委員会に対する指揮監督権に基づき、その事務局職員の定数に関し必要な措置を講ずべきことを命ずることができる。

❺　委員会は、長の補助機関としての職務権限が付与されており、その所管する事務について予算を調製することはできないが、これを執行することはできる。

解説

❶　正しい。予算の調製、議案の提出等については、長の権限とされている（149条1・2号、180条の6第1・2号）。

❷　誤り。地方公共団体の組織機構・職員の膨大化を防ぎ、組織の合理化・能率化と経費の節減を図るべく、両者の間での事務の委任・補助執行及び職員の兼職・事務従事の規定が置かれている（180条の2、180条の3）。

❸　誤り。長は、事務部局の職員をして、委員会の事務を補助する職員と兼務させることができる（180条の3）。

❹　誤り。委員会は長から独立した執行機関であるから、長は組織人事に関し指揮監督権はなく、勧告ができるにとどまる（180条の4第1項）。

❺　誤り。委員会は執行機関である一方（138条の4第1項）、予算の調製権も執行権もない（180条の6第1号）。　　　　　　　　　【正解　❶】

附属機関

1 附属機関の意義

　地方公共団体は、法律又は条例の定めるところにより、執行機関の附属機関として自治紛争処理委員、審査会、審議会、調査会その他の調停、審査、諮問又は調査のための機関を置くことができる（138条の4第3項）。附属機関は、執行機関の要請により、その行政執行の前提として必要な調停、審査、審議又は調査等を行うことを職務とし、自ら行政執行に携わるものではない。

　その設置目的から、附属機関は、利害関係者や住民等の意見を反映するためのもの、公正中立の立場から審議等を行うためのもの、専門技術的見地から調整等を行うものなどに大別できる。なお、附属機関には、法令の規定により設置を義務付けられているものと、任意設置のものとがある。

2 附属機関の性格

　第1に、任意設置のものは、条例によって設けられる。

　第2に、その職務権限は、調停、審査、審議又は調査等に限られ、直接住民に対して行政執行をすることはない。

　第3に、単独でも活動しうる自治紛争処理委員を除き、複数の委員により構成される合議制の機関である。

　これに対しては、非能率、責任の所在の不明確性などの問題点も指摘されているところである。なお、附属機関は、通常、学識経験者、関係団体の代表、利害関係者等によって構成されるほか、関係行政機関の職員が加わることも少なくない。

3 附属機関の運営

　職務権限は、法律若しくは政令又は条例で定めることを要する。委員その他の構成員は非常勤とされ、条例によって常勤とすることは許されないものとされている（202条の3第2項）。

　附属機関には独自の職員を置くことを許さず、その庶務はその属する執行機関がつかさどるとされている（202条の3第3項）。これは、独立の補助職員を置くことによって組織が肥大化するのを防ぐ趣旨である。なお、附属機関は、必ずしも特定の執行機関にのみ附属するものとは限らず、例えば、長と教育委員会の両者に附属するものも認められている。

■関連法条／地方自治法138条の4、202条の3

◉キーワード／附属機関　審議会　審査会　調査会　自治紛争処理委員　合議制

【問題】附属機関に関する次の記述のうち、妥当でないものはどれか。

---

❶　地方公共団体が任意に附属機関を設置しようとするときには、必ず条例で定めなければならない。

❷　附属機関は、執行機関と異なり、自ら最終的な意思決定をする権限を有せず、執行機関の執行の前提として、調停、調査、諮問に対する意見等の事務を担当する。

❸　附属機関を組織する委員その他の構成員は、原則として非常勤であるが、条例で特別な定めをすれば、常勤の委員等とすることができる。

❹　地方公共団体の執行機関の補助職員のみで組織される調査会、審査会等は、その担当する事務が長からの諮問・依頼に基づくものであっても附属機関には該当しない。

❺　附属機関には、法律又はこれに基づく政令に定めがある場合を除くほか、その機関独自の補助職員を置くことはできず、その庶務はその属する執行機関がつかさどる。

解説

❶　正しい（138条の4第3項）。なお、政令で定める執行機関には附属機関を置くことができないとされているが、現在該当の機関はない。

❷　正しい。附属機関は、執行機関の要請により、その行政執行のための必要な資料の提供などいわば行政執行の前提として必要な調停、調査等を行うことを職務とする。

❸　誤り。附属機関の委員等は非常勤とされている（202条の3第2項）。

❹　正しい。執行機関の補助職員のみで構成される各種委員会等は、単に執行機関の補助部局内における事務執行の一方法にすぎず、その目的・名称のいかんを問わず、附属機関には該当しない。

❺　正しい。これについては明文の規定が置かれている（202条の3第3項）。

【正解　❸】

職員の給与

1 給与その他の給付の支給の根拠

地方公共団体は、いかなる給与その他の給付も、法律又はこれに基づく条例に基づかずには、その職員に支給することはできない（204条の2）。「法律に基づき」とは、法律上直接に給与の種類、額等を定める場合であるが、現実には専ら法律に基づく条例を根拠に支給が行われている。「法律に基づく条例」の法律としては、地方自治法（203条、204条）のほか、地方公務員法、地方公営企業法、地方教育行政法等が挙げられる。

2 議員、非常勤職員等の報酬等（203条、203条の2）

地方公共団体は、議会の議員に議員報酬を、委員会の委員、非常勤の監査委員その他非常勤の職員に対し、報酬（勤務に対する反対給付）を支給しなければならない。議会の議員やこれらの職員は、職務を行うため要する費用（旅費等）の弁償を受けることもできる。なお、議会の議員には、国会議員との権衡上、条例で期末手当を支給することができるとされる。

3 常勤職員の給料等（204条）

地方公共団体は、長、委員会の委員、監査委員その他の常勤職員に対し、給料及び旅費を支給しなければならない。職員の給料、手当及び旅費の額及び支給方法は条例で定めなければならない（給与条例決定主義）。また、常勤職員には条例で一定の手当を支給することができるが、給料以外の給与として支給される諸手当の種類は、地方自治法204条2項に限定列挙されており（ex. 扶養手当、調整手当、住居手当等）、それ以外の手当を支給することは同法204条の2に対する違反となる。

4 給与等に関する処分の審査請求（206条）

給与等に関する処分に対する審査請求につき、行政不服審査法の特例として、長が最上級行政庁でない場合でも、すべて長に対して審査請求をするものとされ、長は、当該請求が不適法で却下するときを除き、議会に対して諮問した上、裁決をすることとされている。

5 実費弁償（207条）

議会が調査のため出頭を求めた関係人、監査委員が監査のため出頭を求めた関係人、議会の委員会が調査又は審査のため出頭を求めた参考人などに対して、実費を弁償すべきものとされる。

■関連法条／地方自治法203条〜207条

◉キーワード／給与　給料　手当　旅費　議員報酬　報酬　実費弁償　給
　与条例決定主義

【問題】職員の給与に関する次の記述のうち、妥当でないものはどれか。

❶　議会の議員に対して、条例で、期末手当を支給することができる。

❷　地方公共団体が職員に支給できる手当の種類は、法律で定められた範
　囲のものに限られる。

❸　非常勤職員等に対する報酬は、勤務日数に応じて支給することが原則
　であるが、条例で定めれば月額による支給もできる。

❹　地方公共団体の委員会・委員が給与に関してした処分に不服がある者
　は、長に対して審査請求をすることとされている。

❺　地方公共団体の長、常勤職員等の給料請求権は、その放棄、譲渡等を
　自由かつ無制限に行うことができる。

解説

❶　正しい。地方公共団体は、条例で定めれば、議会の議員に対して期末
　手当を支給することができる（203条3項）。

❷　正しい。地方公共団体が支給できる手当の種類は地方自治法に列挙さ
　れたものに限られる（204条2項）。給与その他の給付は、法律又はこれ
　に基づく条例を根拠としなければ支給できない（204条の2）。

❸　正しい。勤務日数に応じて支給するとの原則は、非常勤職員に対する
　報酬が生活給ではなく純粋に勤務に対する反対給付たる性格を有するた
　め、勤務量に応じて支給されるべきであるとの考えに基づく。ただし、
　勤務実態が常勤職員と変わらない場合には、例外的に、条例で定めれば
　月額支給ができるとされている（203条の2第2項）。

❹　正しい。本来は、行政不服審査法の定めるところにより、処分庁たる
　委員会・委員に審査請求をすることになるが、地方自治法の特例（206
　条1項）により、長に審査請求をなすべきものとされる。

❺　誤り。給料請求権は、基本権の放棄、譲渡等をすることはできない。
　なお、既に発生した支分権については可能である。　　　【正解　❺】

判例チェック

（長の兼業禁止について）
・最高裁昭和56年 5 月14日判決民集35巻 4 号717頁
・最高裁昭和24年 8 月 9 日判決民集 3 巻 9 号329頁
・最高裁昭和62年10月20日判決判時1260号 3 頁
（長の権限について）
・最高裁平成13年12月14日判決民集55巻 7 号1567頁
（長の権限を超えた行為について）
・最高裁昭和34年 7 月14日判決民集13巻 7 号960頁
・最高裁昭和41年 6 月21日判決民集20巻 5 号1052頁
・最高裁昭和39年 7 月 7 日判決民集18巻 6 号1016頁
（長の双方代理について）
・世界デザイン博覧会住民訴訟：最高裁平成16年 7 月13日判決民集58巻 5 号1368頁
（長の退職の申出の撤回について）
・最高裁昭和39年 9 月18日判決民集18巻 7 号1478頁
（議会において議決すべき事件を議決しない場合の専決処分について）
・白井市北総鉄道補助金事件：東京高裁平成25年 8 月29日判決判時2206号76頁
（専決処分の委任の範囲について）
・東京都議会専決処分議決無効事件：東京高裁平成13年 8 月27日判決判時1764号56頁
（議員報酬の額について）
・最高裁平成 2 年12月21日判決民集44巻 9 号1706頁
（非常勤の委員会委員の報酬について）
・最高裁平成23年12月25日判決民集65巻 9 号3393頁
（特殊勤務手当について）
・昼休み窓口業務手当支給事件：最高裁平成 7 年 4 月17日判決民集49巻 4 号1119頁
（臨時的任用職員に対する手当について）
・最高裁平成22年 9 月10日判決民集64巻 6 号1515頁
（第三セクター等派遣職員への給与支出について）　・
・茅ヶ崎市商工会議所派遣職員給与支出事件：最高裁平成10年 4 月24日判決判時1640号115頁
・最高裁平成16年 1 月15日判決民集58巻 1 号156頁
（議員への記念品の支給について）
・最高裁昭和39年 7 月14日判決民集18巻 6 号1133頁
（離職せん別金に充てるための補助金支出について）
・鳴門市競艇従業員共済会補助金支出事件：最高裁平成28年 7 月15日判決判時2316号53頁

新要点演習
地方自治法

第7章

地方公共団体の財務

（概観）

　地方公共団体の運営に当たっては、その財務について適正な処理が行われることが必要不可欠であり、特に財政が厳しい状況にある地方公共団体が多い中、その適正さを確保する必要性がより一層高まっているといえる。この章では、地方公共団体の財務に関する規律について取り上げる。

1　概説

　憲法94条は、地方公共団体に対して、自治行政の権能の1つとして自治財政権を保障している。自治財政権は、地方公共団体が、その事務処理に必要な経費に充てるため、自治権に基づいて、自ら必要な財源を調達し、かつ、これを管理する権能をいう。地方公共団体の財務は、この自治財政権に基づいて、地方公共団体の予算、収入、支出、決算、財産等に関する事務及びこれらに付随する事務を管理・執行する作用のことを指す。なお、地方公共団体における現実の収支の執行手続、現金・有価証券及び物品に関する事務、決算の調製、現金・財産の保存管理を総称して「会計事務」といい、会計事務は財務の一部となるものである。また、地方公共団体の現金の収入・支出をする作用を「出納」という。

　地方公共団体の予算は、歳入歳出予算、継続費、繰越明許費、債務負担行為、地方債等からなるが、このうち歳入歳出予算は予算の本体となるものであり、一会計年度における一切の収入及び支出はすべて歳入歳出予算に編入しなければならないとされている。ここで地方公共団体の支出とは、地方公共団体の各般の需要を満たすための現金の支払をいい、一定の手続や方法が法定されている。他方、地方公共団体の収入とは、地方公共団体の各般の需要を満たすための支払の財源となるべき現金の収納であり、地方税、分担金、使用料、手数料、地方債等がある。

　地方自治法では、地方公共団体の財産の適正かつ効率的な管理の確保のため、管理の対象となる財産の範囲と分類を定めている。公有財産、物品、債権及び基金が地方自治法において規定され、その利用等について様々な規制がある。また、地方自治法には、住民の福祉を増進する目的をもってその利用に供するための施設として公の施設の制度があり、この設置や管理については、原則として地方公共団体が条例で定めることとされている一方、指定管理者にその管理を行わせることができる。

　地方公共団体の契約には公法上の契約と私法上の契約があるが、地方自治法では私法上の契約について定めており、そこでは競争入札が原則とされるほか、一定のルール・手続に従って締結すべきものとされている。

　また、地方公共団体の財務の管理及び執行については、コンプライアンスの確保を含むガバナンスの確立が求められており、内部統制に関する方針の策定・評価のほか、監査委員の監査・外部監査、議会の監視、住民監査請求・住民訴訟による監視、職員の賠償責任制度などにより、その管理及び執行の適正化が図られている。

2　地方財政を取り巻く状況と課題

　厳しい状況が続く地方財政に関しては、住民への受益と負担の明確化や、自立的な財政を営むことができる地方公共団体の増加を目指し、その財源のあり方・確保、地方公共団体間の財政力格差の是正などが課題となっているが、議論となってきた地方交付税については不交付団体が減少するなど依存度が強まる状況にあり、中央省庁の統制手段となってきた補助金についても部分的な使途の拡大や一括化、財政力格差の関係では地方法人税の制度の創設などが行われるにとどまっている。また、地方公共団体の財政破たんを防ぐため、財政健全化法の制定、民間の企業会計的手法にならった公会計制度の整備・定着など、地方公共団体の財政の透明性や健全性を確保するための制度の整備も進められてきている。

3　ポイント

　この章では、地方公共団体の財務として、会計年度と会計区分、予算、決算、収入及び支出、財産等に関する規定などについて説明するほか、財務事務の適正な処理を確保するための手段として、監査委員による監査、外部監査、住民監査請求・住民訴訟などについて取り上げる。財務の制度は複雑であるが、地方公共団体の運営において極めて重要な位置づけをされているので、その要点をしっかりと押さえておく必要がある。なお、住民監査請求や住民訴訟については、住民の直接参政制度の面からも理解しておくことが必要となるが、近年は地方公共団体の行政運営の違法性を追及する手段としても活用されるようになり、訴訟の数だけでなく、その違法性や職員の責任が認められる例も増えている。

会計年度と会計区分

1 会計年度の意義

地方公共団体の会計年度は、毎年4月1日に始まり、翌年3月31日に終わる（208条1項）。会計年度とは、地方公共団体の歳入歳出の計算を区分整理して、財務関係を明確にするため設けられた一定の期間のことである。

2 会計年度独立の原則

各会計年度における歳出は、その年度の歳入をもって充てなければならない（208条2項）。これを会計年度独立の原則という。「歳入」とは一会計年度における一切の収入、「歳出」とは一会計年度における一切の支出をいう。

会計年度独立の原則の例外として、①継続費の逓次繰越し（212条）、②繰越明許費（213条）、③事故繰越し（220条3項）、④歳計剰余金の繰越し（233条の2）、⑤過年度収入・過年度支出（243条の5）及び⑥翌年度歳入の繰上充用（243条の5、自治令166条の2）が認められている。

なお、歳入歳出の所属年度については、いずれの会計年度に属するか明確にする必要があるため、会計年度所属区分についての定めが設けられている（自治令142条、143条）。

3 会計の区分

地方公共団体の会計は、一般会計と特別会計に区分される（209条1項）。会計は、地方公共団体の財政状況の全体像が容易に把握できるよう単一であることが望ましいが、実際上地方公共団体の事務を単一で処理することは困難であるので、特別会計が設けられている。しかし、特別会計の濫設は予算の統一性を害することになるので、特定の事業を行う場合その他特定の歳入をもって特定の歳出に充て一般の歳入歳出と区分して経理する必要がある場合に条例で設置できることとされている（209条2項）。

なお、地方公共団体の経営する企業のうち地方公営企業法の適用を受ける事業（地方公営企業）の経理は特別会計を設けて行うものとされ（地方公営企業法17条）、地方公営企業としては水道、自動車運送、電気、ガス等の事業が定められている。そのほかに、条例で特別会計を設置することになるのは、地方公営企業以外の病院、観光施設、宅地造成等の事業などが挙げられる。

■関連法条／地方自治法208条、209条等
◉キーワード／会計年度　会計年度独立の原則　一般会計　特別会計

【問題】地方公共団体の会計に関する次の記述のうち、妥当でないものはどれか。

❶　地方公共団体の会計年度は、毎年4月1日から翌年3月31日までの1年間と決められている。

❷　会計年度独立の原則とは、一会計年度における一切の収入及び支出は、すべて歳入歳出予算に編入しなければならないとする原則をいう。

❸　会計年度独立の原則の例外として、繰越明許費等が認められている。

❹　地方公共団体においては、必要な場合には、条例により、一般会計のほかに特別会計を設置することができる。

❺　地方公共団体の経営する企業のうち地方公営企業法の適用を受ける事業の経理については、事業ごとに特別会計を設置しなければならない。

解説

❶　正しい。地方公共団体の会計年度は、毎年4月1日から翌年3月31日までの1年間と法律上決められている（208条1項）。

❷　誤り。会計年度独立の原則とは、各年度の歳出はその年度の歳入をもって充てなければならないとする原則である。

❸　正しい。会計年度独立の原則には、例外として、継続費の逓次繰越し、繰越明許費、事故繰越し、歳計剰余金の繰越し、過年度歳入・過年度歳出等がある（212条、213条、220条3項、233条の2、243条の5）。

❹　正しい。特定事業を行う場合その他一般の歳入歳出と区分して経理する必要がある場合には、条例で、特別会計を設置できることとされている（209条2項）。

❺　正しい。地方公営企業の経理については、特別会計の設置が義務付けられている。ちなみに、地方公営企業としては、水道（簡易水道を除く）、工業用水道、軌道、自動車運送、鉄道、電気及びガスの各事業が地方公営企業法に定められている。

【正解　❷】

予算の意義

1 予算の意義・性格

　予算とは、地方公共団体の一会計年度における歳入及び歳出の見積りである。歳入予算は単なる収入の見積りであり執行機関を拘束するものではないのに対して、歳出予算は支出の予定の見積りであると同時に、長に対して予算で定める目的及び金額の範囲内で支出する権限を付与するとともに、支出の限度及び内容を制限する拘束力を有し、執行機関を拘束する法的性格を有することとされている。

2 予算の種類

①**当初予算と補正予算**　当初予算とは、一会計年度を通じて一切の歳入・歳出を計上し、毎年度、会計年度開始前に議決すべき予算をいい、補正予算は、当初予算の調製後に生じた事由に基づいて、既定の予算に追加その他の変更を加える必要があるときに調製する（218条1項）。②**本予算と暫定予算**　暫定予算とは、本予算が年度開始前に成立する見込みのない場合その他特別な必要がある場合において年間を通じる本予算が成立するまでのつなぎとして調製される一会計年度中の一定期間に係る予算をいう（218条2項）。暫定予算は本予算が成立するとその効力を失い、それに基づく支出・負担は本予算に基づく支出又は債務負担とみなされる（218条3項）。③**本格予算と骨格予算**　骨格予算とは、年度の途中で長の選挙が行われる場合など年間を通じる予算を編成することが困難な場合に差し当たり必要最小限の経費だけを計上した予算を編成しておくものである。

　そのほか、一般会計予算と特別会計予算といった区別もある。

3 予算に関する原則

①**総計予算主義の原則**　一会計年度の一切の収入及び支出は、すべて歳出歳入予算に編入しなければならない（210条）。これを総計予算主義の原則という。収入とは地方公共団体の各般の需要を充たすための財源となるべき現金の収納を、支出とは各般の需要を充たすための現金の支払をいう。
②**単一予算主義の原則**　一会計年度における一切の収入及び支出は単一の予算に計上し一会計の下に経理すること。そのほか、③**予算統一の原則**（216条）、④**会計年度独立の原則**（208条2項）、⑤**予算事前議決の原則**（211条1項）、⑥**予算公開の原則**（219条、243条の3）などがある。

■関連法条／地方自治法210条〜222条

◉キーワード／当初予算・補正予算　本予算・暫定予算　総計予算主義
　単一予算主義　予算統一の原則　会計年度独立の原則　予算事前議決の
　原則　予算公開の原則

【問題】予算に関する次の記述のうち、妥当でないものはどれか。

---

❶　補正予算とは、年度の途中で、災害発生、制度の改正等の事態により
　既定経費に過不足が生じた場合に、既定予算の科目又は金額の補正を行
　うものである。

❷　歳入予算は単なる収入の見積りであるが、歳出予算は支出の予定の見
　積りであると同時に、執行機関を拘束する法的性格を有することとされ
　ている。

❸　暫定予算は本予算が成立するとその効力を失い、それに基づく支出・
　負担は本予算に基づく支出又は債務負担とみなされる。

❹　普通地方公共団体の予算は、その会計の区分から、普通会計予算と特
　別会計予算に区分される。

❺　年度の途中で長の選挙が行われる場合等においては、当面必要最小限
　の経費だけを計上した予算を編成することも可能である。

解説

❶　正しい。補正予算は、当初予算の調製後に生じた事由により、既定予
　算に変更を加えるものである（218条1項）。

❷　正しい。歳出予算は、長に対して予算で定める目的及び金額の範囲内
　で支出する権限を付与するとともに、支出の限度及び内容を制限する拘
　束力を有し、執行機関を拘束する法的性格を有する。

❸　正しい（218条3項）。

❹　誤り。普通会計予算ではなく、一般会計予算である。

❺　正しい。設問の場合のように、年間を通じる予算を編成することが困
　難な場合に差し当たり必要最小限の経費だけを計上した予算を編成して
　おくものを骨格予算という。

【正解　❹】

予算は、次の事項に関する定めからなるものとされている（215条）。

(1)**歳入歳出予算**　予算の本体となるものである。一会計年度における一切の収入支出はすべて歳入歳出予算に編入しなければならない（210条）。歳入にあっては、その性質に従って款に大別し、かつ、各款中においてはこれを項に区分し、歳出にあっては、その目的に従ってこれを款項に区分する（216条）。項は更に目節に区分されるが、議会の議決の対象となるのは款項であり予算書には款項のみが掲げられる。歳入歳出予算には、予算外又は予算超過の支出に充てるため予備費を設けなければならないが、特別会計においては任意とされている（217条1項）。

(2)**継続費**　庁舎の建設工事のように事業の完了まで数年を要する場合に、予算の定めるところにより、その経費の総額及び年割額を定め、継続費として数年度にわたって支出することができる（212条）。

(3)**繰越明許費**　歳出予算の経費のうちその性質上又は予算成立後の事由に基づき年度内にその支出を終わらないものについては、予算の定めるところにより、繰越明許費として翌年度に繰り越して使用できる（213条）。

(4)**債務負担行為**　歳出予算、継続費又は繰越明許費の範囲外で地方公共団体が債務負担行為をするには、予算で定めておく必要がある（214条）。

(5)**地方債**　予算の定めるところにより地方債を起こすことができる（230条）。

(6)**一時借入金**　長は、歳出予算内の支出をするため一時借入金の借入れができるが、その会計年度の歳入で償還する必要がある（235条の3）。

(7)**経費の金額の流用**　歳出予算の経費の金額は、各款の間又は各項の間において相互に流用することができない。ただし、各項の経費の金額は、予算の執行上必要がある場合に限り、予算の定めるところにより、流用することができる（220条2項）。流用とは、予算の補正の手続を用いず、予算執行上の処理として、特定の目的のための経費を抑制し、その財源を他の支出費目の増額に充当することである。

　なお、特別会計のうち事業の経費を主として事業に伴う収入をもって充てるもので条例で定めるものについて、業務量の増加により経費に不足を生じたときは収入の増加分を経費に充てることができる（218条4項）。このことを、一般に「特別会計の弾力条項」と呼んでいる。

■関連法条／地方自治法210条～218条、220条、235条の3
◉キーワード／歳入歳出予算　継続費　繰越明許費　債務負担行為　地方債　一時借入金　経費の金額の流用　特別会計の弾力条項

【問題】予算に関する次の記述のうち、妥当でないものはどれか。

❶　繰越明許費は、その事業について財源が準備されているにもかかわらず事業実施が翌年度になるような場合に、その財源を翌年度に繰り越して使用することを認めるものである。

❷　継続費は、継続最終年度まで逐次繰り越して使用することができるが、繰り上げて使用することはできない。

❸　継続費又は繰越明許費として定められている場合でも、債務を負担するときは、別に予算で債務負担行為を定めることが必要である。

❹　歳出予算の経費の金額について、款間又は項間の流用は禁止されているが、項間では、予算執行上の必要がある場合に限り、予算の定めるところにより、流用することができる。

❺　一時借入金は、既定の歳出予算内の支出現金の不足を補うため、地方公共団体の長が借り入れるものであり、その会計年度の歳入をもって償還しなければならない。

【解説】

❶　正しい（213条）。

❷　正しい。継続費は、年割額の支出額が支出予定額に達しない場合に、継続最終年度まで毎年度の支払残額を逐次繰り越して使用することは認められるが、繰り上げて使用することは認められない（212条）。

❸　誤り。継続費又は繰越明許費として定められている場合は、債務を負担するときでも、別に債務負担行為を定めることを要しない（214条）。

❹　正しい。歳出予算の各項の経費の金額については、予算執行上の必要のある場合に限り、予算の定めるところにより、項間の流用が認められる（220条2項）。

❺　正しい（235条の3）。なお、一時借入金の借入れの最高額は予算で定めるものとされている。　　　　　　　　　　　　　　　【正解　❸】

予算に関する手続

1 予算の調製

　地方公共団体の長は、毎会計年度予算を調製し、年度開始前に、議会の議決を経なければならない。予算を調製して議会に提出する権限は長に専属しており、議員が提出することは許されない。予算提出の時期は、遅くとも年度開始前30日（都道府県・指定都市）又は20日（市町村）までとされている（211条1項）。予算を提出するときは、予算に関する説明書も併せて提出することが義務付けられている（211条2項）。

2 予算の議決

　予算が成立するには、原案執行（177条3項）、長の専決処分（179条1項）又は弾力条項（218条4項）による場合を除いては、議会の議決を要する（96条1項2号）。議会は、予算を修正できるが、増額修正権については、長の予算提出権限（発案権）を侵すことはできないという限界がある（97条2項）。これは、予算に含まれていない事項につき所要額を計上することで予算の趣旨を損なうことを防ぐためである。減額修正についても、長が再議に付すことによる一定の制約がありうる（177条2・3項）。

　予算を定める議決があったときは、議長は、その日から3日以内に長に送付しなければならない（219条1項）。長は、予算の送付を受けた場合において、再議その他の措置を講ずる必要がないと認めるときは、直ちにその要領を住民に公表しなければならず（219条2項）、また、会計管理者に通知しなければならない（自治令151条）。

3 予算の執行

　長は、政令で定める基準に従って予算の執行に関する手続を定め、これに従って執行しなければならない（220条1項）。政令では、①必要な計画を定めること、②定期又は臨時に歳出予算の配当を行うこと、③歳出予算の各項を目節に区分することを定めている（自治令150条1項）。

　予算の執行権は長に専属し（149条2号）、委員会・委員は執行権を有しない（180条の6第1号）。しかし、執行権の一部を委員会・委員に委任することができる（180条の2）。予算の執行の適正を図るため、長には、委員会・委員等の収入支出に関する調査権がある（221条1項）。

■関連法条／地方自治法211条、218条〜222条
◉キーワード／予算の調製　予算の提出　予算の修正　予算の議決　予算
の執行

【問題】地方公共団体の予算の手続に関する次の記述のうち、妥当なも
のはどれか。

❶　予算の執行権は、執行機関たる長及び委員会・委員が有する。
❷　予算は、長が毎会計年度調製し、議会に提出しなければならないが、
　地方公営企業の予算の場合には、管理者が調製し、議会に提出しなけれ
　ばならない。
❸　長は、委員会・委員に関する予算を調製するに当たっては、それぞれ
　の委員会・委員の意見を聴かなければならない。
❹　議会は、予算の減額修正だけでなく、増額修正についても自由に行う
　ことができる。
❺　長は、議決された予算の送付を受けた場合において、再議その他の措
　置を講ずる必要がないと認めるときは、住民に公表しなければならない
　が、公表を義務付けられているのは予算の要領である。

解説

❶　誤り。予算の執行権は長に専属し、委員会・委員は執行権を有しない
　（149条2号、180条の6第1号）。
❷　誤り。予算の調製及び議会への提出の権限は長に専属し、地方公営企
　業の管理者にはこれらの権限が認められておらず、予算の原案を作成し、
　長に送付するにとどまる（地方公営企業法8条1項、9条3号）。
❸　誤り。教育に関する事務に係る歳入歳出予算を調製する場合には、長
　は教育委員会の意見を聴かなければならないが、一般的に委員会・委員
　の意見を聴かなければならないわけではない。
❹　誤り。予算の増額修正については、長の予算提出権限を侵すことがで
　きないとの限界が定められている（97条2項）。
❺　正しい（219条2項）。

【正解　❺】

決算

1 決算の意義

決算とは、一会計年度の歳入歳出予算の執行の結果の実績を表示した計数表のことである。決算として予算執行の事実を示すことで、財政上の責任を議会や住民に対して明らかにし、次年度予算の執行の際の指針とする。

2 決算の調製

会計管理者は、毎会計年度、決算を調製し、出納の閉鎖後3月以内に、証書類等とともに長に提出しなければならない（233条1項）。決算の調製に期限を定めたのは、早期に調製を終了させることで次年度以降の予算編成や議会の予算審議に資することを期待しているからである。

3 監査委員の監査

長は、会計管理者から提出された決算等を、監査委員の監査に付する（233条2項）。監査の主眼は、①計算に過誤はないか、②実際の収支が収支命令と適合しているか、③収支が適法になされたか、④財政運営が適法になされたか、⑤予算が目的に沿って効率的に執行されたか等にある。

4 決算の認定

長は、監査委員の審査に付した決算を監査委員の意見を付けて次の通常予算を審議する会議までに議会の認定に付する（233条3項）。議会は、決算書等について、予算の執行が適正に行われたかどうかにつき、住民の代表機関として審査する。この審査は、当該年度の収支の内容等を検討して確認するとともに、決算に対する議会の意思を明らかにして執行機関に必要な措置を求めることなどを目的とするもので、決算が否決されても、既に行われた収入、支出等の効力に影響はないが、長の政治的責任の問題は残るほか、長は議決を踏まえて講じた措置の議会への報告と公表の義務を負う（233条7項）。

5 決算の公表

長は、議会の認定に付した決算の要領を住民に公表しなければならない（233条6項）。

6 歳計剰余金

決算上剰余金を生じたときは、翌年度の歳入への編入が原則であるが、条例又は議会の議決による基金への編入も可能である（233条の2）。

■関連法条／地方自治法96条1項3号、233条、233条の2

◉キーワード／決算　決算の調製　監査委員の監査　決算の認定　決算の報告・公表　歳計剰余金

【問題】決算に関する次の記述のうち、妥当なものはどれか。

---

❶　地方公共団体の長は、監査委員の審査を経た決算を議会の認定に付さなければならないが、議会の認定が得られなくとも決算の効力には影響はない。

❷　各会計年度において決算上生じた剰余金は、基金に編入しなければならないが、条例の定めるところにより、又は議会の議決により、地方債の償還財源等に充当することができる。

❸　地方公共団体の長は、決算を調製し、出納の閉鎖後3月以内に監査委員に提出しなければならない。

❹　議会の認定に付された決算については、議会の議長によって、その要領が住民に対して公表される。

❺　決算は、歳入歳出予算だけでなく、予算の内容である継続費、繰越明許費、地方債等についても調整されるべきものとされている。

解説

❶　正しい。議会の決算の認定は、予算の議決と異なり、効力の発生要件ではなく、予算の執行の結果の確認行為である。なお、長は、決算の認定に関する議決が否決された場合に、その議決を踏まえて必要と認める措置を講じたときは、その内容の議会への報告と公表を行わなければならない。

❷　誤り。剰余金は、翌年度の歳入に編入されるのが原則。ただし、条例又は議会の議決による基金への編入も認められる（233条の2）。

❸　誤り。決算の調製者は、会計管理者である（233条1項）。

❹　誤り。長がその要領を公表する（233条6項）。

❺　誤り。会計管理者による決算の調製は、歳入歳出予算について行われるものとされている（自治令166条1項）。　　　　　【正解　❶】

地方公共団体の収入

1　収入の種類・区分

　地方自治法は、地方税、分担金、使用料、加入金、手数料及び地方債（分担金、使用料、手数料及び地方債については後述）を地方公共団体の収入として定めている。このほか、地方交付税、地方譲与税、国庫支出金等がある。地方税は、地方公共団体が一般の経費に充てるため公権力に基づき住民から徴収する課徴金で、地方公共団体の収入の基本となるものであり、税目、税率、徴収方法等の詳細は地方税法で定める（223条）。

　一般財源（使途が不特定）と特定財源（使途が特定）、自主財源（地方公共団体が自主的に調達）と依存財源（国等に調達を依存）、経常的収入（継続的安定的）と臨時的収入（一時的臨時的）といった分類がある。

2　収入の方法・徴収

　歳入を収入しようとするときは、政令の定めるところにより、調定を行い、納入義務者に対して納入の通知をしなければならない（231条）。歳入の収入は、納入通知書等で指定された金銭出納員、指定金融機関等の納付場所において現金で収納し、地方公共団体の預金口座に納付することが原則とされている。納入義務者の便宜を考慮して、①口座振替による納付、②証券による納付、③収入証紙による納付、④指定納付受託者による納付（コンビニ、クレジットカード、スマートフォンアプリ等を利用した納付）が特例として認められている（231条の2）。なお、地方公共団体は、公金の徴収・収納又は支出を私人に取り扱わせてはならないものとしているが（243条）、収入の確保・私人の便益の増進に寄与する場合には私人に徴収・収納の事務を委託することも認められている（自治令158条）。

　納入義務者が期限までに納付しない場合には、地方税のときは地方税法の手続によって収入を確保することとなり、滞納処分により地方公共団体自らが強制徴収することが認められている。このほかについては、地方自治法に基づいて長が期限を指定して督促しなければならず（231条の3第1項）、この場合には、条例の定めるところにより手数料、延滞金を徴収することができることとされている（231条の3第2項）。分担金、加入金、過料等については、督促を受けた者が期限までに納付しないときは地方税の滞納処分の例により強制徴収することができる（231条の3第3項）。

■関連法条／地方自治法223条〜231条の3

◉キーワード／地方税　分担金　使用料　加入金　手数料　地方債

【問題】地方公共団体の収入に関する次の記述のうち、妥当なものはどれか。

---

❶　地方公共団体は、いかなる場合にも、公金の徴収・収納又は支出を私人に取り扱わせてはならないこととされている。

❷　地方公共団体の歳入を納期限までに納付しない者については、地方税の場合には滞納処分手続により地方公共団体自らが強制徴収を行うことができるが、その他の歳入については民事手続によらなければならない。

❸　地方公共団体の長以外の機関が行った督促や滞納処分に対する審査請求は、長が処分庁の直近上級庁でなくとも、長に対し審査請求をする。

❹　地方公共団体の歳入を納期限までに納付しない者に対しては、長が期限を指定して督促しなければならないが、この場合、長は、規則の定めるところにより、手数料や延滞金を徴収することができることとされている。

❺　地方公共団体の収入は、地方公共団体が自らの権能に基づき自主的に調達できるものをいい、その調達を国や都道府県に依存する地方交付税、国庫支出金、都道府県支出金等は地方公共団体の収入とはいえない。

解説

❶　誤り。収入の確保・私人の便益の増進に寄与する場合は、例外的に私人に徴収収納の事務を委託することも認められている（自治令158条）。

❷　誤り。分担金、加入金、過料等については、地方税の滞納処分の例により強制徴収することができる（231条の3第3項）。

❸　正しい（231条の3第5項）。

❹　誤り。手数料や延滞金については、規則の定めるところではなく、条例の定めるところにより徴収することができる（231条の3第2項）。

❺　誤り。地方公共団体の各種の経費に充てるための財源となるべき現金を収納することを収入といい、自主財源に限られるものではない。

【正解】　❸

分担金・使用料・手数料

1 分担金・使用料・手数料の意義

(1)**分担金**　分担金とは、数人又は地方公共団体の一部に対し利益のある事件に関し、その必要な費用に充てるため、当該事件により特に利益を受ける者から、その受益の限度において徴収するものをいう（224条）。財源を調達するとともに、住民相互間の負担の公平を図る意義を有する。

(2)**使用料**　使用料とは、行政財産の目的外使用又は公の施設の利用について、その反対給付として徴収されるものをいう（225条）。地方公営企業法の適用を受ける水道、ガス、鉄道等の公営企業につき徴収される料金も使用料の一種である。使用料の徴収権者は、地方公共団体の長とされているが（149条3号）、地方公営企業の料金の徴収は企業管理者の権限とされている（地方公営企業法9条9号）。

(3)**手数料**　手数料は、特定の者に提供する役務に対し、その費用を償うため又は報償として徴収する料金であり、地方公共団体は、その地方公共団体の事務で特定の者のためにするものにつき、手数料を徴収することができることとされている（227条）。

2 分担金等に関する規律

　分担金、使用料、加入金及び手数料に関する事項については、条例で定めなければならないこととされている。この場合において、手数料を全国的に統一して定めることが特に必要な、政令で定める事務（標準事務）について手数料を徴収するときは、政令で定める金額を標準として条例を定めなければならない（228条1項）。その徴収に関し、条例で5万円以下の過料を科す旨の規定を設けることができるほか、詐欺その他不正の行為により分担金等の徴収を免れた者については、条例でその徴収を免れた金額の5倍に相当する金額（5万円を超えないときは5万円）以下の過料を科す旨の規定を置くことができる（228条2・3項）。

　地方公共団体の機関の行った分担金等の徴収に関する処分に不服のある場合には、長が処分を行った機関の最上級行政庁かどうかにかかわらず、長に対して審査請求を行うものとされている。その場合、長は、請求が不適法で却下するときを除き、議会に諮問して裁決しなければならず、また、審査請求に対する裁決を経た後でなければ出訴できない（229条）。

■関連法条／地方自治法224条〜229条

◉キーワード／分担金　使用料　手数料

> 【問題】分担金・使用料・手数料に関する次の記述のうち、妥当なものはどれか。

❶　地方公共団体は、手数料を、自治事務については条例で定めることにより、法定受託事務については規則で定めるところにより徴収することができる。

❷　地方公共団体の委員会・委員がした分担金、使用料又は手数料の徴収に関する処分についての審査請求は、長に対してすることができる。

❸　分担金は、特定の事件に関して特に利益を受ける者から徴収されるものであって、その金額は受益の範囲を超えることもできる。

❹　地方公共団体の機関の行った分担金等の徴収に関する処分に不服のある場合、その地方公共団体の長に対して審査請求をすることはできるが、その処分について裁判所に出訴することはできない。

❺　手数料を全国的に統一して定めることが特に必要と認められるものとして政令で定める事務について手数料を徴収するときは、その金額は政令により定められており、条例で別に定めることはできない。

解説

❶　誤り。自治事務、法定受託事務の区別なく、条例で定めることとされている（228条1項）。

❷　正しい。地方公共団体の委員会・委員がした分担金等の徴収に関する処分については、当該地方公共団体の長に審査請求することができる（229条1項）。

❸　誤り。分担金の金額は、受益の限度を超えることはできないとされている（224条）。

❹　誤り。審査請求に対する裁決を経た後であれば、出訴できる（229条）。

❺　誤り。政令で定める金額を標準として条例を定めなければならないとされている（228条1項、地方公共団体の手数料の標準に関する政令）。

【正解　❷】

地方債

1 地方債の意義

地方債とは、地方公共団体の借入金で、その償還が一会計年度を越えて行われるものである。地方公共団体は、別に法律で定める場合において、予算の定めるところにより、地方債を起こすことができる（230条1項）。地方債を起こすときは、起債の目的、限度額、起債の方法、利率及び償還の方法を予算で定めなければならない（230条2項）。地方債の特色は、①地方公共団体が負担する債務であること、②他から資金を借り入れることによって負担する債務であること、③債務の履行が2年以上にわたって行われるものであること等が挙げられる。

2 地方債を起債できる場合

地方債は長期借入金であり、地方公共団体の歳出は地方債以外の歳入をもってその財源とすることが基本とされるべきことから、財政の健全な運営のため、起債できる場合が法律によって限定されている。地方財政法では、起債できる場合として、①交通事業、ガス事業等の公営企業の財源とする場合、②出資金又は貸付金の財源とする場合、③地方債の借換えの場合、④災害復旧事業等の財源とする場合、⑤公共施設又は公用施設の建設事業費の財源とする場合を定めている（地方財政法5条）。このほか、特例として、災害対策基本法等にも規定されている。

3 起債の協議等

地方債の起債やその方法・利率・償還方法などの変更については、原則として総務大臣又は都道府県知事に協議しなければならない。協議において同意がない地方債の起債なども可能であるが、その場合には、長は、あらかじめ議会に報告しなければならない（地方財政法5条の3）。協議において同意があった地方債については、政府資金等の公的資金の借入れなど有利な取扱いがなされることになる（同法5条の3第3項）。

なお、協議制の例外として、赤字が一定水準以上の地方公共団体、実質公債比率の高い地方公共団体、赤字公営企業等が地方債を発行する場合には、総務大臣又は都道府県知事の許可を受けなければならないものとされている（同法5条の4）。

■関連法条／地方自治法230条　地方財政法５条〜５条の８、附則33条の7

◉キーワード／地方債　起債の許可　地方債の協議　実質公債比率

【問題】地方債に関する次の記述のうち、妥当なものはどれか。

❶　地方公共団体は、法律又は条例で定める場合に限り、地方債を起こすことができる。

❷　地方債は、地方公共団体が条例で定めるところにより発行するものであり、起債の目的、限度額、起債の方法、利率及び償還の方法については、条例で定めなければならない。

❸　地方債を発行する場合、原則として総務大臣又は都道府県知事に協議しなければならないが、同意が得られなくとも起債を行うことは可能である。

❹　地方公共団体は、地方債以外の方法で借入れを行うことはできない。

❺　地方債を発行するに当たっては、必ず政府資金等の公的資金が充当されることになる。

解説

❶　誤り。地方債が長期借入金であることから、地方財政の健全な運営上、法律で定める場合に限ることとされている（地方財政法５条）。

❷　誤り。地方債は予算の内容とされており、予算の定めるところにより起債できることとされている（215条５号、230条）。

❸　正しい。同意が得られない場合、議会に報告することを条件に起債することは可能である（地方財政法５条の３第１・５項）。なお、その場合には公的資金の借入れは認められない。

❹　誤り。地方公共団体の長は、地方債を起こす以外の方法で、一時借入金を借り入れることができる（235条の３）。

❺　誤り。地方債を発行するに当たって総務大臣又は都道府県知事との協議において同意があった地方債についてのみ、公的資金を借り入れることができる（地方財政法５条の３第３項）。

【正解　❸】

地方公共団体の支出の手続・方法

1 経費の支弁等

地方公共団体は、①地方公共団体の事務を処理するために必要な経費及び②法律又はこれに基づく政令により地方公共団体の負担に属する経費を支弁する。法律又は政令により地方公共団体に事務処理を義務付ける場合には、そのために要する経費の財源につき、国は必要な措置を講じなければならない（232条）。

2 支出の制限

地方公共団体は、寄附又は補助をすることができるが、その公益上必要がある場合に限られる（232条の2）。なお、憲法89条により、一定の公金支出が禁止されている。

3 支出負担行為

地方公共団体の支出の原因となる契約その他の行為（支出負担行為）は、内容も手続も、法令又は予算の定めるところに従い、これをしなければならない（232条の3）。

4 支出の方法

会計管理者は、長の命令がなければ支出することができない。命令を受けた場合でも、①支出負担行為が法令又は予算に違反していないこと及び②債務が確定していることを確認した上でなければ、支出することができない（232条の4）。また、支出は、債権者のためでなければすることができず（232条の5第1項）、債務の金額が定まり、支払期日が到来し、支払の相手方が正当な債権者である場合に支払われる。なお、支出は、政令の定めるところにより、資金前渡、概算払、前金払、繰替払、隔地払及び口座振替の方法によることができるとの特例が定められている（232条の5第2項、自治令161条～165条の2）。

5 小切手の振出し・公金振替書の交付

金融機関を指定している地方公共団体における支出は、現金の交付に代え、当該金融機関を支払人とする小切手を振り出し、又は公金振替書を当該金融機関に交付してするものとされる。ただし、小切手を振り出す場合に債権者の申出があれば、現金で小口の支払をすることなどができる（232条の6第1項）。

■関連法条／地方自治法232条～232条の6

◉キーワード／地方公共団体の支出　寄附　補助　支出負担行為　支出命令　資金前渡　概算払等

【問題】地方公共団体の支出の手続・方法に関する次の記述のうち、妥当なものはどれか。

---

❶　地方公共団体の支出については、会計管理者が必要と認めるときは、その判断と責任において資金前渡の方法によることができる。

❷　地方公共団体は、金融機関を指定している場合、当該金融機関から債権者に対して現金で支出をしなければならず、債権者の申出があるときでも小切手を振り出すことはできない。

❸　会計管理者は、当該支出負担行為が法令又は予算に違反しているときでも、長の命令に従い、支出をしなければならない。

❹　地方公共団体の支出は、債権者本人に対してしなければならず、債権者の委任を受けた者に対しては支出をすることができない。

❺　地方公共団体は、金融機関を指定している場合、その金融機関に預金口座を設けている債権者には口座振替の方法による支出も可能である。

解説

❶　誤り。一定の場合に限り支払方法の特例として資金前渡が認められている（232条の5第2項、自治令161条）。

❷　誤り。金融機関を指定している場合、支出は小切手の振出し又は公金振替書の交付により行うのが原則とされている（232条の6第1項）。

❸　誤り。会計管理者は、長の命令を受けた場合においても、支出負担行為が法令・予算に違反していないことと、債務が確定していることを確認した上でなければ支出することができない。

❹　誤り。地方公共団体の支出は債権者のためであればよく（232条の5第1項）、債権者から代金受領の委託を受けた者に支払うことができる。

❺　正しい。当該金融機関に口座を設けている債権者から申出があったときは、当該金融機関に通知して口座振替の方法により支出することができる（232条の5第2項、自治令165条の2）。　　　　【正解　❺】

地方公共団体が締結する売買、貸借、請負その他の私法上の契約は、一般競争入札、指名競争入札、随意契約又はせり売りの方法により締結するものとされる（234条1項）。契約については一般競争入札が原則で、その他の方法は政令で定める場合に限り認められている（234条2項）。

(1)**一般競争入札**　入札に関する公告をして不特定多数の者の参加を求め、その地方公共団体に最も有利な価格で申込みをした者と契約を締結する方法である。ただし、契約を締結する能力のない者・破産者・地方公共団体との契約につき不正不当の行為があった者は一定期間入札への参加が制限されるほか、一定の入札資格を定めることも認められており、指名競争入札も含め、最低制限価格を設けたり、価格とそれ以外の工期・機能・安全等の条件を総合的に評価する総合評価方式を導入することもできる。

(2)**指名競争入札**　契約の履行能力等に信用のおける特定の者を競わせ、最も有利な価格で入札した者と契約を締結する方法である。一般競争入札の欠点を補うものとして、実際によく使われる方法であるが、競争効果の減退のおそれ等（ex. 談合が容易）から指名の公正等についての配慮が必要となる。指名競争入札によることができる場合は、工事・製造の請負、物件の売買等で、その性質・目的が一般競争入札に適しないとき等とされている。

(3)**随意契約・せり売り**　随意契約は、競争入札を行わずに、適当と認める相手を選定して契約を締結する方法である。手続が簡単で、信用できる相手を選ぶことができるが、情実に左右され、公正さの点で問題がある。随意契約ができるのは、売買等の契約で予定価格が規則で定める金額以下のものである場合、性質・目的から競争入札に適さない場合等に限定されている。せり売りは、買受け希望者の口頭による価格競争の方法である。動産の売払いのうち、この方法が適しているものについて行われる。

(4)**長期継続契約**　地方公共団体は、債務負担行為として予算で定めることなく、電気・ガス・水の供給若しくは電気通信の役務の提供の契約、不動産を借りる契約等を締結できる。この場合、地方公共団体は、各年度のこれらの経費の予算の範囲内において、その給付を受けなければならないこととされている（234条の3）。

■関連法条／地方自治法234条〜234条の3

◉キーワード／一般競争入札　指名競争入札　随意契約　せり売り　入札保証金　契約保証金　長期継続契約

> 【問題】契約の手続に関する次の記述のうち、妥当なものはどれか。

❶　指名競争入札は、必ずしも入札参加者の資格を定めることを要しない。

❷　一般競争入札は、契約に関する公告をし、不特定多数の者を競争させる方法であり、地方自治法上、契約締結方法の原則とされている。

❸　長は、一般競争入札の開札をした場合において、予定価格の制限の範囲内での入札がないとき又は落札となるべき同価の入札が2人以上あるときは、再度の競争入札により落札者を決める。

❹　一般競争入札は、指名競争入札の場合と異なり、参加者の資格を制限することはできない。

❺　随意契約は、予定価格が一定金額以下の場合に限り行うことができる方法であり、一定金額を超える場合には、これを行うことは一切できない。

解説

❶　誤り。指名競争入札については、長は、参加者の資格要件を定めなければならないこととされている（自治令167条の11第2項）。

❷　正しい。契約締結の方法は、一般競争入札を原則とし、その他の方法は政令で定める特定の場合に限られている（234条1・2項、自治令167条〜167条の3）。

❸　誤り。再度の入札ができるのは、予定価格の範囲内の入札がないときであり、同価の入札が2人以上あるときは、直ちにくじ引きにより落札者を決めなければならない（自治令167条の8第4項、167条の9）。

❹　誤り。一般競争入札においても参加者資格を制限することができ、契約能力を有しない者等は参加させることができず、一定の不正行為をした者は3年以内の期間参加させないことができる（自治令167条の4）。

❺　誤り。随意契約は、契約の性質・目的が競争入札に適しない場合等にも行うことができる（自治令167条の2）。　　　　　　【正解　❷】

地方公共団体の出納

1　指定金融機関

　都道府県は金融機関を指定して公金の収納又は支払の事務を取り扱わせなければならず、市町村は金融機関を指定して公金の収納又は支払の事務を取り扱わせることができる（235条）。地方公共団体の出納は会計管理者が行うのが建前であるが、その分量が多く多岐にわたるためこれを会計管理者の下ですべてを処理するのは事実上不可能であり、金融機関に出納事務を掌理させることとしたものである。

　都道府県と市町村は、議会の議決を経て、1つの金融機関を指定する。指定金融機関を置く地方公共団体では、支払は、原則として現金の交付に代えて、その金融機関を支払人とする小切手の振出し又は公金振替書をその金融機関に交付することによって行うものとされている（232条の6第1項）。指定金融機関は、納税通知書、納入通知書その他の納入に関する書類に基づかなければ、公金の収納をすることができず、また、指定金融機関は、会計管理者の振り出した小切手又は会計管理者の通知に基づかなければ、公金の支払をすることができない（自治令168条の3）。

2　現金等の保管

　地方公共団体の歳入歳出に属する現金（歳計現金）は、指定金融機関への預金その他の最も確実かつ有利な方法により保管しなければならない。地方公共団体の所有に属しない現金（歳入歳出外現金）又は有価証券は、法律又は政令の定めがなければ保管することができない（235条の4第1・2項）。また、会計管理者は、長の通知がなければこれを出納することができない（自治令168条の7）。法令又は契約に特別の定めがあるものを除くほか、歳入歳出外現金には、利子を付さない（235条の4第3項）。「法令又は契約に特別の定め」とは、商行為による利子の特例（商法513条）又は契約がしてある場合をいう。

3　検査

　地方公共団体の現金の出納は、毎月、例日を定めて監査委員が監査を行う（235条の2第1項。例月出納検査）。監査委員は、必要と認めるとき又は長の要求があるときは、指定金融機関が取り扱う地方公共団体の公金の出納又は支払の事務について監査ができる（235条の2第2項）。

■関連法条／地方自治法235条、235条の２、235条の４、235条の５
◉キーワード／会計管理者　指定金融機関　公金の収納・支払　例月出納検査

【問題】地方公共団体の出納に関する次の記述のうち、妥当なものはどれか。

---

❶　都道府県及び市町村は、金融機関を指定して公金の出納又は支払の事務を取り扱わせなければならない。

❷　指定金融機関については、地方公共団体の長が、議会の承認を経て、全部で３つ以内の金融機関を指定することとされている。

❸　収納代理金融機関は、地方公共団体の長が、金融機関の中から指定するが、信用金庫及び信用組合については指定することができない。

❹　地方公共団体は、債務の担保として徴するもののほか、法律又は政令の規定によるのでなければ、その地方公共団体の所有に属さない現金又は有価証券を保管することはできない。

❺　指定金融機関は、納税通知書等の書類に基づかなければ公金の収納ができないが、公金の支払については、会計管理者の振り出した小切手や会計管理者の通知がなくとも、可能である。

解説

❶　誤り。指定金融機関の指定は、都道府県にあっては義務付けられているが、市町村にあっては任意である（235条）。

❷　誤り。指定金融機関の指定については、議会の議決を経て、１つの金融機関を指定することとされている（自治令168条１・２項）。

❸　誤り。収納代理金融機関とは、長が必要があると認めたときに、指定金融機関の取り扱う収納事務の一部を取り扱わせるために長が指定する金融機関をいう（自治令168条４項）。収納代理金融機関の指定については、特段の制限はない。

❹　正しい（235条の４第２項）。

❺　誤り。公金なので、必ず納税通知書等の証拠となる書類に基づかなければ収納ができないほか、会計管理者の振出しの小切手等に基づかなければ支払ができない（自治令168条の３）。　　　　　　【正解　❹】

地方公共団体に係る金銭債権の消滅時効

1 時効

　地方公共団体の金銭債権については、時効に関し他の法律に定めがあるものを除くほか、これを行使できる時から5年間行使しないときは消滅する（236条1項）。地方公共団体に対する金銭債権も、同様である。

　「他の法律に定め」とは、私法上の権利については、一般の債権につき5年（権利行使できる時から10年）、それ以外の所有権を除く財産権につき20年の時効などを定める民法のほか、手形法、小切手法等の規定が、公法上の権利については、国の金銭債権につき5年の時効を定める会計法30条、地方税の徴収金に係る債権につき5年の時効を定める地方税法18条、共済の短期給付・掛金につき2年・退職等年金給付につき5年の時効を定める地方公務員等共済組合法144条の23などの規定が、該当する。

2 時効の援用、時効の利益の放棄

　地方公共団体の金銭債権の消滅時効に関しては、法律に特別の定めがある場合を除き、その援用を要せず、また、その利益を放棄することができない。地方公共団体に対する金銭債権も、同様である（236条2項）。これは、不確定な権利関係を排除し、会計事務を公平・画一的に処理する必要があるからである。

　「法律に特別の定め」とは、地方税の徴収権についての地方税法の規定等を指す。民法もこれに含まれるので、本規定の適用対象となる金銭債権には、私法上の債権は含まれない。

3 民法の規定の準用等

　地方公共団体の金銭債権について、消滅時効の完成猶予、更新その他の事項に関し、適用すべき法律がないときは、民法の規定が準用される（236条3項）。地方公共団体に対する債権についても同様である。したがって、民法が規定する裁判上の請求、支払督促、担保権の実行等の事由がある場合には一定の期間時効は完成せず、その事由が終了した時から新たに進行し、仮差押え、催告、協議を行う合意等があった場合には一定期間時効は完成せず、権利の承認があった場合はその時から新たに進行する。

　なお、地方公共団体がする納入の通知及び督促は、時効の更新の効力を有することとされている（236条4項）。

■関連法条／地方自治法236条　民法１編７章等
◉キーワード／消滅時効　地方公共団体の金銭債権

> 【問題】地方公共団体に係る金銭債権の消滅時効に関する次の記述のうち、妥当なものはどれか。

❶　地方公共団体の金銭債権の消滅時効に関しては、時効の援用を要しないが、時効の利益を放棄することは制限されていない。

❷　地方公共団体に対する金銭債権は、債権者が権利を行使することができることを知った時から５年間行わないときに時効により消滅する。

❸　地方公共団体の金銭債権の消滅時効の完成に当たり、天災により時効の完成の猶予等の手続ができないときは、一定期間時効は完成しない。

❹　地方公共団体がする納入の通知及び督促には、一定期間の時効の完成猶予の効力が認められるが、時効の更新の効力までは認められていない。

❺　地方公共団体が一方当事者となる金銭債権であれば、それが私法上の権利でも民法の規定が排除され、地方自治法の時効の規定が適用される。

解説

❶　誤り。地方公共団体の債権債務関係を画一的に確定する必要から、時効の援用は不要とされ、また、時効の利益の放棄が禁止されている（236条２項）。

❷　誤り。権利を行使することができる時から５年である（236条１項）。

❸　正しい。天災その他避けることのできない事変による時効の完成の猶予については民法の規定が準用され、その障害が消滅した時から３箇月は時効が完成しない（民法161条）。

❹　誤り。民法の規定による時効の更新等の手続を必要とすると、事務手続が煩雑になり、歳入を確保できないことから、納入の通知及び督促には時効の更新の効力が認められている（236条４項）。

❺　誤り。地方自治法236条１項の適用については、公法上の権利にのみ適用されるとの説と、他の法律に定めがあるものが除外されることで私法上の権利には適用がないとの説があるが、いずれにしても、地方公共団体が一方当事者となる私法上の権利には適用されない。　【正解　❸】

地方公共団体の財産

地方自治法上の財産は、公有財産、物品及び債権並びに基金をいう（237条1項）。借家権、借地権等は地方自治法上の財産とはされず、歳計現金は財産の範囲から除外され、別途出納保管に関する規定により管理される。

1 公有財産

公有財産とは、地方公共団体の所有に属する財産のうち、基金に属するものを除き、次のものをいう（238条1項）。①不動産、②船舶、浮標、浮桟橋等、航空機、③上記①②の不動産及び動産の従物、④地上権、地役権、鉱業権等、⑤特許権、著作権、商標権、実用新案権等、⑥株券、社債券、地方債証券、国債証券等、⑦出資による権利、⑧財産の信託の受益権。

公有財産は、行政財産と普通財産に分けられる（238条3項）。

(1)**行政財産** 行政財産とは、地方公共団体において公用又は公共用に供し、又は供することを決定した財産をいう（238条4項）。公用に供する財産とは、地方公共団体がその事務・事業を執行するため直接使用するもので、庁舎等がその例である。公共用に供する財産とは、住民の一般的な利用に供することを目的とするもので、学校、病院、公園など公の施設の物的要素となる場合が多い。行政財産は、原則として私法上の関係において運用することが禁止され、これに違反する行為は無効とされる（238条の4第1・6項）が、その用途等を妨げない限度で、土地や庁舎の空き床の貸付けなど一定の場合には、貸し付け、又は私権を設定することができ（238条の4第2項）、使用を許可することができる（238条の4第7項）。

(2)**普通財産** 行政財産以外の一切の公有財産をいい（238条4項）、その経済的価値を保全発揮させるため、一般私法の適用の下に管理処分され、貸付け、交換、売払、譲渡、信託等が認められている（238条の5）。

2 物品・債権、基金

物品とは、地方公共団体の所有する動産及び地方公共団体が使用のために保管する動産で現金や公有財産・基金に属するもの以外のものをいい（239条1項）、債権とは、金銭の給付を目的とする地方公共団体の一切の権利をいう（240条1項）。

基金とは、特定の目的のため財産を維持し、資金を積み立て、又は定額の資金の運用をするために設置するものである（241条1項）。

■関連法条／地方自治法237条〜241条
◉キーワード／公有財産　行政財産　普通財産　物品　債権　基金

【問題】地方公共団体の財産に関する次の記述のうち、妥当なものはどれか。

---

❶　公用に供する財産とは、住民の一般的な利用に供することを目的とするものであり、公共用に供する財産とは、地方公共団体がその事務・事業を執行するため直接使用するものである。

❷　行政財産は、いかなる場合でも、これを貸し付けたり、私権を設定したりすることができない。

❸　普通財産は、原則として一般私法の適用下で管理処分が行われる。

❹　物品に関する事務に従事する職員は、その取扱いに係る物品を地方公共団体から譲り受けることができないが、それに違反して譲り受けても無効とはならない。

❺　会計管理者は、債権について、その徴収停止、履行期限の延長又は債務の免除をすることができる。

解説

❶　誤り。公用に供する財産と公共用に供する財産の説明が逆である。

❷　誤り。行政財産は、地方公共団体の行政遂行のための物的手段なので、その適正な管理の目的から、原則として私法上の関係において運用することが禁止され、違反行為は無効とされる。ただし、一定の場合には、その用途又は目的を妨げない限度で、貸付け、私権の設定及び使用許可ができる（238条の4第2・3・7項）。

❸　正しい。普通財産は、その経済的価値を保全発揮させるため、私法の適用下で管理処分される。ただし、普通財産の貸付期間中に国等が公用又は公共用に供するための必要を生じたときは、長は契約を解除できるなど公益優先の原則が働く（238条の5第4項）。

❹　誤り。職員がその取扱いに係る物品の買受人となることが許されれば、不合理な価格による取引等の弊害のおそれがあるため、これを禁止し、違反行為を無効としている（239条2・3項）。

❺　誤り。会計管理者ではなく、長である（240条3項）。　　【正解　❸】

基金

　地方公共団体は、条例の定めるところにより、基金を設置することが認められている（241条1項）。基金には、①地方公共団体が特定の目的のために財産を維持し、資金を積み立てるために設置されるものと②特定の目的のために定額の資金を運用するものと2種類ある。

　①は、特定財源確保のため設けられ、その設置目的のためには収益のみならず元本も処分し使用できる。②は、一定額の原資金を運用することにより特定の事務・事業を運営するため設けられる。

　基金は、条例で定める特定の目的に応じ、及び確実かつ効率的に運用しなければならない（241条2項）。

　特定の目的のために財産を維持し、又は資金を積み立てるための基金は、当該目的のためでなければこれを処分することができない（241条3項）。当該目的のためであれば、収益だけでなく、元本の処分も可能である。ただし、当該目的を達成することが不必要となったときは、当該目的のためでなくても処分できる。

　基金の運用から生ずる収益及び基金の管理に要する経費は、それぞれ毎会計年度の歳入歳出予算に計上しなければならない（241条4項）。

　定額の資金を運用するための基金については、長は、毎会計年度、その運用の状況を示す書類を作成し、これを監査委員の審査に付し、その意見を付けて議会に提出しなければならない（241条5項）。基金の運用については、歳入歳出予算と関係なく経理されるので、その成果を議会に報告し、審議権との調整を図るためのものである。

　基金の管理権者は、地方公共団体の長であるが、基金に属する現金及び有価証券の保管は、会計管理者の権限である（170条2項3・4号）。

　基金の管理については、基金に属する財産の種類（現金、公有財産に相当する不動産、動産若しくは有価証券、物品に相当する動産、債権に相当する権利等）に応じ、収入・支出の手続、歳計現金の出納・保管、公有財産・物品の管理・処分又は債権の管理の例によるものとされている（241条7項）。

　このほか、基金の管理・処分に関し必要な事項は、条例で定めなければならない（241条8項）。

■関連法条／地方自治法241条
◉キーワード／基金　基金の管理　地方公共団体の財産

> **【問題】** 基金に関する次の記述のうち、妥当なものはどれか。

❶　地方公共団体が基金を設置するには、予算によらなければならない。

❷　基金には、特定の目的のために財産を維持し、資金を積み立てるものと、定額の資金を運用するものと2種類があるが、後者の基金については地方自治法上の財産に含まれない。

❸　特定の目的のために財産を維持し資金を積み立てる基金は、目的外処分が禁止されるが、目的達成が不必要になったときには目的外処分も可能と解されている。

❹　基金の運用から生ずる収益及び基金の管理に要する経費については、歳入歳出予算に計上する必要はなく、議会に別途報告することで足りるものとされている。

❺　特定の目的のために定額の資金を運用する基金については、長は毎会計年度、運用状況を示す書類を作成し、議会に提出する義務があるが、この書類については監査委員の審査に付すことを要しない。

解説

❶　誤り。予算ではなく条例により設置される（241条1項）。

❷　誤り。基金はいずれも地方自治法上の財産とされている（237条1項）。

❸　正しい。特定の目的のために財産を維持し、資金を積み立てる基金は、当該目的のためでなければ処分することが禁止されている（241条3項）。ただし、当該目的を達成することが不必要になったときには、当該目的外の処分もできると解されている。

❹　誤り。基金の運用から生ずる収益及び基金の管理に要する経費は、毎会計年度の歳入歳出予算に計上しなければならない（241条4項）。

❺　誤り。基金の運用の状況等を示す書類については、議会提出前に監査委員の審査に付すことが必要である（241条5項）。

【正解　❸】

職員の賠償責任

1 職員の賠償責任の意義

会計管理者をはじめ地方公共団体の会計職員又は予算執行職員が故意又は重過失（現金については過失）により当該団体に財産上の損害を与えたときは、損害賠償責任を負う（243条の2の2）。これは、地方公共団体の利益を保護し、損害の救済を容易にするとともに、会計職員等の責任の軽減を図ることを目的とするものである。なお、この地方自治法上の特別の責任の対象となる職員以外の者については、民法の賠償責任に関する規定が当然適用される。

2 賠償責任の要件

(1)**会計職員の場合** 会計管理者、会計管理者の補助職員、資金前渡を受けた職員、占有動産を保管している職員、物品を使用している職員が、故意又は重過失（現金については過失）により、その保管に係る現金、有価証券等を亡失・損傷したときに、賠償責任を負う（243条の2の2第1項）。

(2)**予算執行職員の場合** 支出負担行為、支出命令、支出負担行為の確認、支出・支払等の権限を有する職員又はこれらの権限に属する事務を直接補助する職員で地方公共団体の規則で指定した者が、故意又は重過失により、法令に違反して当該行為を行ったこと又は怠ったことにより地方公共団体に損害を与えたときに、賠償責任を負う（243条の2の2第1項）。

3 賠償責任の手続

長は、会計職員等が地方公共団体に損害を与えたと認めるときは、監査委員に対し、監査と、賠償責任の有無・賠償額の決定とを求め、その決定に基づき、期限を定めて賠償命令を出す（243条の2の2第3項）。賠償命令を出せる期間は、金銭債権の消滅時効が成立するまで（5年）である。

やむを得ない事情によるものと認めるときは、長は議会の同意を得て、賠償責任の全部又は一部を免除できる（243条の2の2第8項）。長の処分に不服がある者は長に審査請求することができ、これに対し、長は不適法却下の場合を除き議会に諮問して裁決をする（243条の2の2第11項）。

なお、地方公共団体は、条例で、長や職員等の損害賠償責任について、その職務を行うにつき善意で重大な過失がないときは、賠償責任額を限定してそれ以上の額を免責する旨を定めることも認められる（243条の2）。

■関連法条／地方自治法243条の２の２、243条の２　民法709条等
◉キーワード／職員の賠償責任　会計職員　予算執行職員

> 【問題】職員の賠償責任に関する次の記述のうち、妥当でないものはどれか。

❶　職員の賠償責任の主観的要件について、現金とそれ以外の有価証券、物品等とで差異がある。

❷　地方自治法上の賠償責任の対象となる「職員」とは、現金又は物品等を亡失又は損傷した当時に職員であることを意味するものである。

❸　損害が２人以上の職員の行為によるものであるときは、それぞれの職責、発生原因となった程度に応じて責任を負う。

❹　職員の賠償責任は、所定の事実があればそれにより発生する。

❺　長の賠償命令について不服がある場合にも、行政不服審査法に基づく審査請求をすることはできない。

解説

❶　正しい。現金については故意又は過失、それ以外のものについては故意又は重過失が要件とされる。

❷　正しい。退職後であろうと賠償責任を免れない。なお、地方自治法上の賠償責任の対象となる職員以外の職員については、民法の賠償責任に関する規定が当然適用されることになる。

❸　正しい。２人以上の職員の行為に帰因するときは、各職員は、職分すなわち職責と、損害発生に対する原因となった程度に応じて独立の責任を負う。

❹　正しい。最高裁昭和61年２月27日判決。他方、長は、地方自治法で定める手続を経て賠償命令を発動する。当該命令により、賠償責任の有無及び賠償額が決定され、職員の賠償責任は現実的なものとなる。長の命じる賠償額は、監査委員の決定に合致しなければならないとされる。

❺　誤り。長の賠償命令に不服がある者は、長に対して審査請求をすることができる。なお、住民訴訟（４号訴訟）の判決に従った賠償命令については、行政不服審査法の審査請求はできない。　　　【正解　❺】

監査委員による監査

1　一般監査

　監査委員は、地方公共団体の財務に関する事務の執行及び地方公共団体の経営に係る事業の管理を監査する（財務監査。199条1項）。また、監査委員は、必要があると認めるときは、地方公共団体の事務の執行についても監査できる（行政監査。199条2項）。ただし、自治事務については労働委員会や収用委員会の権限に属する事務、法定受託事務については国の安全を害するおそれのある事項、個人の秘密を害することとなる事項等に関する事務についてはその対象外とされている（199条2項）。

　監査委員が毎会計年度少なくとも1回以上期日を定めて行う財務監査は「定例監査」（199条4項）、必要があると認めるときに監査委員の判断で行う財務監査（199条5項）と行政監査（199条2項）は「随時監査」と呼ばれている。監査委員は監査基準に従って監査を行うものとされている。

2　特別監査

　住民、議会、長からの請求や要求により監査委員がその請求や要求のあった事項について監査を行うのが「特別監査」（「要求等監査」）であり、これに該当するものは次のとおりである。①**事務監査**　住民の直接請求による監査で、その地方公共団体の事務事業全般が対象となる（75条）。②**議会の請求による監査**　議会は監査委員に対してその地方公共団体の事務に関する監査を求めることができる（98条2項）。③**長の要求による監査**

　長からその地方公共団体の事務の執行に関し監査の要求があったときは監査しなければならない（199条6項）。④**住民監査請求による監査**　住民は違法又は不当な公金の支出等があると認めるときは、監査委員に対し監査を求め当該行為の防止・是正、損害の補てん等に必要な措置を講ずべきことを請求することができる（242条）。⑤**職員の賠償責任の監査**　長は職員が一定の行為によって地方公共団体に損害を与えたと認めるときは監査委員に監査を求めるものとされている（243条の2の2第3項）。

　このほか、地方公共団体が財政的援助を与えているもの等に対する長の要求による監査（199条7項。特別監査、一般監査の両方がありうる）、決算の審査（233条2項）、現金出納の検査（235条の2第1項）、指定金融機関等の公金収納等の監査（235条の2第2項）がある。

■関連法条／地方自治法198条の3～202条、75条、199条、233条、235条
の2、242条、243条の2の2等

◉キーワード／監査　監査委員　監査基準　一般監査　財務監査　行政監
査　定期監査　随時監査　特別監査　要求監査等

> 【問題】監査委員による監査に関する次の記述のうち、妥当なものはど
> れか。

❶　監査委員は、その対象となる事務事業に応じてその裁量により監査を
　行うのが基本であり、その基準が必ず定められるわけではない。
❷　監査委員は、監査の結果に関する報告のうち、議会、長、関係のある
　委員会において特に措置を講じる必要があると認める事項については、
　理由を付して、必要な措置を講ずべきことを命ずることができる。
❸　監査の実施に当たっては、事務の執行が最少の経費で最大の効果をあ
　げているかについてのみ特に意を用いるべきこととされている。
❹　監査委員は、その地方公共団体が補助金等の援助を与えているものの
　出納その他の事務の執行について監査をすることができるが、その場合
　の監査はその事業全般を対象とすることができる。
❺　監査の結果に関する報告の決定や意見の決定については、各監査委員
　は単独ではできず、合議によらなければならない。

解説

❶　誤り。監査委員は、合議により監査基準を定め、これに基づき適切・
　有効に監査しなければならない（198条の4）。当該基準は、総務大臣が
　示す指針によることとされ、また、基準を定めたときは、議会、長、委
　員会に通知し、公表しなければならない。
❷　誤り。命令ではなく勧告である（199条11項）。
❸　誤り。このほか、組織及び運営の合理化に努めているかについても特
　に意を用いなければならないこととされている（199条3項）。
❹　誤り。その場合の監査はその財政援助等に係るものに限られる（199
　条7項）。
❺　正しい（199条12項）。なお、合議により決定できない事項がある場合
　には、各委員の意見を付してその旨を提出・公表しなければならない
　（199条13項）。　　　　　　　　　　　　　　　　　　　　【正解　❺】

外部監査とは、外部の専門家により外部監査契約に基づいて行われる監査のことで、地方公共団体のチェック機能の強化と不適正な予算執行の問題への対処を目的とするものである。外部監査契約を締結できる者は、財務管理、事業の経営管理等に関し優れた識見を有する弁護士、公認会計士又はいわゆる公務精通者（会計検査等の行政事務に従事した者）とされているが、必要と認めれば識見を有する税理士と締結することもできる（252条の28第1・2項）。外部監査人は、あらかじめ監査委員に協議の上、補助者を用いることができる（252条の32）。外部監査人及び補助者については、刑罰で担保された守秘義務が課されるとともに、刑法等の適用については公務に従事する職員とみなされる（252条の31、252条の32）。

1　包括外部監査契約に基づく監査（252条の27第2項）

包括外部監査契約とは、①都道府県、②政令で定める市（指定都市及び中核市）、③契約に基づく監査を受けることを条例で定めた市町村が、地方自治法2条14・15項の趣旨を達成するために、外部監査人の監査を受けるとともに監査の結果に関する報告を受けることを定める契約である（252条の27第2項）。包括外部監査対象団体の長は、毎会計年度（③は条例で定める会計年度）において速やかに1人の外部監査人と契約を締結しなければならず、締結に当たっては監査委員の意見を聴いた上、議会の議決を経なければならない（252条の36第1項・2項）。外部監査人は、契約の趣旨を達成するため、特定の事件について、外部監査の期間内に少なくとも1回以上監査をしなければならない（252条の37第3項）。監査の結果は、議会、長、監査委員及び関係委員会・委員に提出しなければならない。また、意見を提出することもできる。報告を受けた監査委員は、これを公表しなければならない（252条の37、252条の38）。

2　個別外部監査契約に基づく監査（252条の27第3項）

個別外部監査契約とは、議会等の請求により監査委員が監査を行うとされる場合において、請求等をする者が理由を示して外部監査を求めたとき、一定の場合に外部監査を受けるとともに監査結果の報告を受けることを定める契約である（252条の39）。包括外部監査は監査のテーマの選択権が外部監査人にあるが、個別外部監査の方はなく、その点で相違する。

■関連法条／地方自治法252条の27〜252条の46

◉キーワード／外部監査　包括外部監査契約　包括外部監査対象団体　個別外部監査契約

> 【問題】外部監査に関する次の記述のうち、妥当でないものはどれか。

❶　外部監査人は、外部監査契約を締結することにより、法律上当該地方公共団体の公務員の身分を取得することとされている。

❷　地方公共団体は、必要と認めるときは、財務管理等に関し優れた識見を有する税理士と外部監査契約を締結することもできる。

❸　外部監査人は1つの契約につき1人とされ、包括外部監査対象団体は、連続して4回、同一の者と契約を締結してはならない。

❹　包括外部監査と個別外部監査との最大の相違点は、外部監査人がテーマを選択して監査を行うことができるかどうかにある。

❺　住民監査請求に係る個別外部監査については、議会ではなく監査委員が、個別外部監査が相当かどうかの判断を行う。

解説

❶　誤り。外部監査人は、契約により監査を行う点で監査委員とは性格が異なり、公務員の身分を取得するものではない。

❷　正しい（252条の28第2項）。

❸　正しい。外部監査人は当該外部監査契約に責任をもつ者という趣旨から、1つの契約について1人である。包括外部監査契約については、特定の者が長期にわたると外部性に疑問が生じやすいことから、連続して4回同一の者と契約を締結してはならない（252条の36第1・3項）。

❹　正しい。包括外部監査は、外部監査人が「必要と認める特定の事件」について監査を行うこととされているのに対し、個別外部監査の方は、テーマの選択権が個別監査を請求した者にある（252条の37第1項、252条の39第1項）。

❺　正しい。住民監査請求が住民1人でも行えることとの関係上、個別外部監査相当性の判断を議会がその都度行うことは現実的ではないと考えられる（252条の43第2項）。　　　　　　　　　　　　　　【正解　❶】

住民監査請求

　住民監査請求と住民訴訟は、職員の違法・不当な財務会計上の行為又は職務を怠る事実の予防あるいは是正を図り、地方公共団体の財務の適正を確保し、住民全体の利益を保護するための制度である。

1　請求権者

　当該地方公共団体の住民であればよく、法律上の行為能力を有する限り、個人であると法人であるとを問わない。国籍、選挙権、納税の有無も問わない。また、直接請求である事務の監査請求とは異なり、住民が1人で請求することも可能である。

2　請求の対象・内容

　当該地方公共団体の長等の執行機関又は職員による違法・不当な公金の支出、財産の取得、管理又は処分、契約の締結・履行（競争入札によるべきところを随意契約とする等）、債務その他の義務の負担（条例と異なる退職年金の決定等）、あるいは違法・不当に公金の賦課、徴収又は財産の管理を怠る事実（法令に根拠のない地方税の減免等）である。住民は、これらの行為又は事実があると認めるときは、当該行為の防止・是正、怠る事実を改めること及び当該団体のこうむった損害を補てんするために必要な措置を請求することができる（242条1項）。

3　請求の手続

　請求は、違法・不当な行為又は怠る事実を証する書面を添えて文書で行う（当該行為のあった日又は終わった日から1年以内）（242条1・2項）。請求があったとき、監査委員は、直ちにその要旨を議会及び長に通知しなければならない（242条3項）。監査委員は、監査を行い、請求に理由がないときは理由を付して請求人に通知し、理由があるときは議会、長等に必要な措置を勧告し、請求人に通知し、公表する（242条5項）。監査・勧告は、請求の日から60日以内に行わなければならない（242条6項）。

　なお、事前の差止めを求める住民監査請求の実効性担保のため、一定の要件（行為が違法と思料する相当の理由、回復困難な損害回避の必要、生命等に対する重大な危害発生の防止その他公共の福祉を著しく阻害するおそれがないこと等）を満たしたときは、監査委員は、長等に対し、暫定的に当該行為を停止すべきことを勧告できる（242条4項）。

■関連法条／地方自治法242条

◉キーワード／住民監査請求　違法・不当な財務会計上の行為　違法・不当な財務会計上の怠る事実

【問題】住民監査請求に関する次の記述のうち、妥当なものはどれか。

❶　住民監査請求は、有権者の総数の50分の１以上の者の連署をもって、その代表者から監査委員に対して行わなければならない。

❷　議会の違法・不当な行為も、住民監査請求の対象となる。

❸　監査委員は、住民により差止めを請求された行為について、監査結果が確定するまで停止の勧告ができない。

❹　議会は、住民監査請求に係る行為又は怠る事実に関する請求権その他の権利を、その判断により自由に放棄することができる。

❺　監査委員は、監査の結果、請求に理由がないときは、理由を付してその旨を書面で請求人に通知するとともに、公表しなければならない。

解説

❶　誤り。住民監査請求は、地方財政運営に係る腐敗防止を目的とし、住民１人でも行うことができる。有権者の一定数以上の署名を要件とするのは、直接請求としての事務の監査請求の場合である。

❷　誤り。住民監査請求の対象となるのは、当該地方公共団体の執行機関又は職員の違法・不当な財務会計上の行為又は職務を怠る事実であり、議会の行為（予算の議決等）が違法・不当であっても、請求の対象にならない。

❸　誤り。2002年の地方自治法改正により、一定の要件を満たした場合には、監査委員は理由を付して監査手続が終了するまでの間暫定的に当該行為を中止すべきことを勧告することが可能となった（242条３項）。

❹　誤り。放棄する議決をしようとするときは、あらかじめ監査委員の意見を聞かなければならない（242条10項）。

❺　正しい（242条４項）。理由を付した書面による通知とともにこれを公表することを義務付けたのは、住民訴訟の場合における他の住民による訴訟参加を考慮したものである。　　　　　　　　【正解　❺】

住民訴訟

1 出訴権者

訴訟を提起できるのは、住民監査請求をした住民で、①監査委員の監査結果又は勧告に不服があるとき、②勧告を受けた議会、長等の執行機関又は職員の措置に不服があるとき、③監査請求があった日から60日以内に監査委員が監査・勧告を行わないとき、又は④監査委員の勧告を受けた議会等が勧告に示された期間内に必要な措置を講じないときに限られる（242条の2第1項）。

2 訴訟の対象等

訴訟の対象となるのは財務会計上の違法な行為又は怠る事実であって（不当な行為又は怠る事実は対象とならない）、当該行為又は怠る事実について住民監査請求をしたものに限られる（監査請求前置主義）。なお、出訴期間については、行政運営の安定性確保のため一定の期間が定められており、その期間は不変期間とされている（242条の2第2・3項）。

3 訴訟の類型

訴訟をもって請求できる事項は、次の4種類である（242条の2第1項）。

①1号訴訟：執行機関又は職員に対する当該行為の差止請求

②2号訴訟：行政処分たる当該行為の取消し又は無効確認請求

③3号訴訟：執行機関又は職員に対する当該怠る事実の違法確認請求

④4号訴訟：執行機関又は職員に対し、職員又は行為・怠る事実に係る相手方に対する損害賠償・不当利得返還の請求をすることを求める請求

4 4号訴訟に関する手続

4号訴訟について損害賠償等を命ずる判決が確定したときは、長は、当該職員又は相手方に対し、判決確定の日から60日を期限として損害賠償金等の支払を請求しなければならない（242条の3第1項）。支払われないときは、地方公共団体は、当該損害賠償等の請求を目的とする訴訟を提起しなければならない。長に対し訴訟を提起するときは、代表監査委員が当該地方公共団体を代表する（242条の3第5項）。なお、訴訟の提起には、当該地方公共団体の議会の議決を要しない（242条の3第3項）。

なお、条例で、長や職員等の損害賠償責任について善意でかつ重過失がない場合の一部免責に関し定めることが認められている（243条の2）。

■関連法条／地方自治法242条の２、242条の３、243条の２
◉キーワード／住民訴訟　監査請求前置主義　財務会計上の違法な行為・
怠る事実　１号訴訟～４号訴訟　民衆訴訟　損害賠償責任の一部免責

【問題】住民訴訟に関する次の記述のうち、妥当なものはどれか。

❶　当該地方公共団体の住民であれば、住民監査請求をした者かどうかを
問わず、住民訴訟を起こすことができる。

❷　住民訴訟は、民衆訴訟の一形態であるから、請求の類型が法律で定め
られ、また、それに限られる。

❸　住民は、地方公共団体に代位して、長や職員に対する損害賠償又は不
当利得の返還の請求をすることが認められている。

❹　４号本文の請求に係る訴訟で損害賠償の請求を命ずる判決が確定した
場合は、地方公共団体は、その日から60日以内の支払を請求し、損害賠
償金が支払われないときは、強制徴収をしなければならない。

❺　賠償命令を命ずる判決が確定した場合、長は賠償を命じなければなら
ないが、この場合にも監査委員の監査を求めなければならない。

解説

❶　誤り。住民訴訟を提起できるのは監査請求をした住民に限られる（監
査請求前置主義。242条の２第１項）。

❷　正しい。住民訴訟は、法律で特別に認められた客観訴訟であり、住民
訴訟の請求類型として、地方自治法は、①差止めの請求、②取消し等の
請求、③職務懈怠の違法確認の請求、④損害賠償等の請求・賠償命令を
求める請求の４種類を定めている（242条の２第１項）。

❸　誤り。従前は代位請求が認められていたが、現在は、住民が地方公共
団体に対し、賠償請求権等を行使する地方公共団体の長等を被告として、
その財務会計上の行為に係る職員等に賠償請求等をせよとの訴訟を提起
するものとなっている（242条の２第１項）。

❹　誤り。その場合には、訴訟を提起することになる（242条の３第２項）。

❺　誤り。裁判を経ている場合については、監査委員の監査を要しない
（243条の２の２第４項）。　　　　　　　　　　　　　　【正解　❷】

判例チェック

（課税自主権・地方税法と租税法律主義等について）
・神奈川県臨時特例企業税事件：最高裁平成25年3月21日判決民集67巻3号438頁
（使用料の免除について）
・孔子廟訴訟：最高裁令和3年2月24日民集75巻2号29頁
（公金支出等について）
・一日校長事件：最高裁平成4年12月15日民集46巻9号2753頁
・最高裁平成18年12月1日判決民集60巻10号3847頁
（寄附について）
・ミニパトカー寄附事件：最高裁平成8年4月26日判決判時1566号33頁
（補助金について）
・日韓高速船補助金訴訟：最高裁平成17年11月10日判決判時1921号36頁
・陣屋の村補助金訴訟：最高裁平成17年10月28日判決民集59巻8号2296頁
・静岡県議員OB会補助金事件：最高裁平成18年1月19日判決判時1925号79頁
・斑鳩町自治会集会用地譲渡事件：最高裁平成23年1月14日判決判時2106号33頁
（損失補償契約について）
・安曇野菜園事件：最高裁平成23年10月27日判決判時2133号3頁
（一般競争入札について）
・最高裁平成6年12月22日判決民集48巻8号1769頁
（指名競争入札について）
・最高裁平成18年10月26日判決判時1953号122頁
（随意契約について）
・福江市ごみ処理施設工事請負契約事件：最高裁昭和62年3月20日判決民集41巻2号189頁
・阪南町土地売買契約事件：最高裁昭和62年5月19日判決民集41巻4号687頁
（消滅時効について）
・最高裁昭和46年11月30日判決民集25巻8号1389頁
・最高裁平成17年11月21日判決民集59巻9号2611頁
・在ブラジル被曝者健康管理手当訴訟：最高裁平成19年2月6日判決民集61巻1号122頁
（財産の処分について）
・最高裁平成30年11月6日判時2407号3頁
・最高裁平成17年11月17日判決判時1917号25頁
（行政財産の目的外使用許可について）
・東京中央卸売市場使用許可撤回事件：最高裁昭和49年2月5日判決民集28巻1号1頁
・呉市学校施設不許可事件：最高裁平成18年2月7日判決民集60巻2号401頁

（普通財産について）

・砂川市（富平神社）政教分離訴訟：最高裁平成22年 1 月20日判決民集64巻 1 号128頁

（債権の行使について）

・最高裁平成16年 4 月23日判決民集58巻 4 号892頁

（住民監査請求の対象とその特定について）

・最高裁平成10年11月12日判決民集52巻 8 号1705頁

・大阪水道部事件：最高裁平成 2 年 6 月 5 日判決民集44巻 4 号719頁

・織田が浜埋立訴訟：最高裁平成 5 年 9 月 7 日判決民集47巻 7 号4755頁

・最高裁平成16年11月25日判決民集58巻 8 号2297頁

（再度の住民監査請求について）

・西川町有財産売却処分事件：最高裁昭和62年 2 月20日判決民集41巻 1 号122頁

・最高裁平成10年12月18日判決民集52巻 9 号2039頁

（住民監査請求期間について）

・最高裁平成14年10月 3 日判決民集56巻 8 号611頁

・西川町有財産売却処分事件：最高裁昭和62年 2 月20日判決民集41巻 1 号122頁

・最高裁平成14年 7 月 2 日判決民集56巻 6 号1049頁

・精華町用地買収補償金支出事件：最高裁昭和63年 4 月22日判決判時1280号63頁

・最高裁平成14年 9 月12日判決民集56巻 7 号1481頁

（住民訴訟について）

・警察法改正無効事件：最高裁昭和37年 3 月 7 日判決民集16巻 3 号445頁

・最高裁平成 2 年 4 月12日判決民集44巻 3 号431頁

・最高裁昭和55年 2 月22日判決判時962号50頁

・砂川市（空知太神社）政教分離訴訟：最高裁平成22年 1 月20日判決民集64巻 1 号 1 頁

・東京都議会議長公金支出事件：最高裁昭和62年 4 月10日判決民集41巻 3 号239頁

・最高裁平成18年12月 1 日判決民集60巻10号3847頁

・最高裁平成 3 年12月20日判決民集45巻 9 号1503頁

・最高裁平成 3 年11月28日判決判時1404号65頁

（長・職員の賠償責任について）

・市川市市長接待費訴訟：最高裁昭和61年 2 月27日判決民集40巻 1 号88頁

・箕面忠魂碑訴訟：最高裁平成 5 年 2 月16日判決民集47巻 3 号1687頁

・愛媛玉串訴訟：最高裁平成 9 年 4 月 2 日判決民集51巻 4 号1673頁

・倉敷チボリ公園事件：最高裁平成16年11月15日判決民集58巻 1 号156頁

・最高裁平成20年11月27日判決判時2028号26頁

新要点演習
地方自治法

第8章

国との関係・地方公共団体相互の関係

- ・（概観）
- ・国の関与のルールと種類
- ・国の関与の手続
- ・国と地方公共団体の間の係争処理
- ・地方公共団体相互間の係争処理
- ・地方公共団体相互の協力方式
- ・条例による事務処理の特例制度

判例（係争処理委員会等勧告）チェック

（概観）

　地方自治を保障する憲法の趣旨からすると、地方行政に対する中央政府の関与はできるだけ排除されることが望ましいが、その一方で、地方自治の制度も国家の法によって認められたものであり、行政の統一性や一貫性、あるいは適法性などを確保するために、ある程度は国又は都道府県による関与の余地を残しておく必要がある。また、住民の生活圏の拡大に伴い、市町村や都道府県の区域を越えた事務の処理が必要となる場合も多く、こうした場合における地方公共団体相互間の協力も重要となってきている。なお、国との関係では、自治に影響を及ぼす政策について関係大臣と地方六団体の代表が協議を行う国と地方の協議の場が法律により設けられた。

1　国等の関与

　国又は都道府県の関与についてのルールとしては、法定主義、基本原則、手続ルール、係争処理制度が定められている。まず、関与の基本類型として、①助言・勧告、②資料の提出の要求、③是正の要求、④同意、⑤許可・認可・承認、⑥指示、⑦代執行、⑧協議の8類型が定められており、かつ、関与を法律又はこれに基づく政令で設けるに当たっての基本原則ないし今後の立法方針が定められている。この基本原則によると、国・都道府県の関与はその目的を達成するため必要最小限度のものとし、地方公共団体の自主性・自立性に配慮すべきものとされている。係争処理制度については、国と地方公共団体の場合と地方公共団体相互間の場合があるが、いずれにしても、相互に対等・協力という関係に立つことから、両者に紛争が生じたときにも対等な関係に適合的な形で解決を図ることが求められる。そこで、公平・中立の立場から審査を行う機関として、国と地方公共団体の間の係争については国地方係争処理委員会、地方公共団体相互間の紛争については自治紛争処理委員による紛争処理の制度が整備されている。

　なお、地方自治法は、立法・行政・司法の関与のうち、行政的な関与を中心に制度を整備し、法治主義・透明性・公正性の観点から、そのルールについて定めている。また、地方自治法上の関与に当たるのは、地方公共団体がその固有の資格においてその行為の名宛人となるものに限られ、その場合の「固有の資格」とは、一般私人が立ち得ないような立場にある状態を指し、私人と同様の立場で地方公共団体が行為の名宛人となるケース

は「関与」には当たらないとされている。このほか、国や都道府県の地方公共団体に対する支出金の交付・返還に係るもの、利害調整を目的として行われる裁定その他の行為、不服申立てに対する裁決・決定その他の行為も「関与」から除外されている。

2 地方公共団体相互の協力関係

　現実の地方行政においては、個別の地方公共団体の区域を越えた広域の行政需要への対応や単独では処理することが困難な事務への対応など、複数の地方公共団体が協力・共同して事務や事業に対応する必要が生じる場合も少なくない。地方自治法では、特別地方公共団体である地方公共団体の組合を設置する方式のほか、各種の協力の方式を定めている。地方公共団体の組合以外の協力の方式としては、公の施設の区域外設置又は共同利用、連携協約、協議会の設置、機関等の共同設置、事務の委託、事務の代替執行、職員の派遣等がある。このほか、市町村合併、定住自立圏の整備などもそのような要請に沿うものといえる。

　さらに、地方公共団体相互間の関係としては、都道府県知事の権限の一部を市町村が処理することとすることを認める「条例による事務処理の特例制度」もある。

3 ポイント

　この章では、国等の関与のルールと種類、関与の手続、国と地方公共団体の間の係争処理、地方公共団体相互間の係争処理、地方公共団体相互の協力方式、条例による事務処理の特例制度が基本的な学習項目となるが、それぞれ重要な項目であり、ポイントをしっかりと押さえておきたい。特に第1次分権改革の柱の1つでもあった国等の関与については、地方自治法の規定は内容的に複雑で難解なところもあるものの、関与の種類、自治事務の場合と法定受託事務の場合の相違、関与等に不服がある場合の係争処理としての国地方係争処理委員会・自治紛争処理委員による審査・勧告の手続や関与に関する訴訟に関してはきちんと理解しておきたい。他方、地方公共団体相互の協力方式については、この章で説明したものに加え、地方公共団体の組合等についても視野に入れる必要があるほか、分権の手段として、条例による事務処理の特例制度についても注意しておきたい。

国の関与のルールと種類

　地方自治法は、国又は都道府県による関与のルールとして、法定主義、基本原則、手続、係争処理制度について定めている。

　関与の基本類型は、①助言又は勧告、②資料の提出の要求、③是正の要求、④同意、⑤許可、認可又は承認、⑥指示、⑦代執行、⑧地方公共団体との協議である（245条）。地方公共団体に対する関与については、法律又はこれに基づく政令の根拠を要し（245条の2。関与の法定主義）、かつ、245条の3各項に規定する基本原則にのっとり規定すべきものとされている（245条の3）。なお、自治事務については①～③・⑧の4類型、法定受託事務については①②④～⑧の7類型（第2号法定受託事務については①～⑧の8類型）が、原則的な関与とされている。

　地方公共団体に対する国又は都道府県の関与には個別法の根拠が必要とされるが、次の関与は地方自治法を根拠に行うことができる。

(1)**技術的助言・勧告、資料の提出の要求**　各大臣又は都道府県の執行機関は、事務の運営等について技術的な助言・勧告をし、又は助言・勧告若しくは事務の適正な処理に関する情報提供のため必要な資料の提出を求めることができる（245条の4）。

(2)**是正の要求・勧告・指示**　①**是正の要求**　地方公共団体の自治事務（市町村の場合は第2号法定受託事務を含む）の処理が法令違反又は著しい不適正かつ明らかな公益侵害と認めるときは、違反の是正・改善のため必要な措置を講ずべきことを求めることができる（245条の5）。②**是正の勧告**
　都道府県の執行機関は、市町村の自治事務の処理が法令違反又は著しい不適正かつ明らかな公益侵害と認めるときは、違反の是正・改善のため必要な措置を講ずべきことを勧告することができる（245条の6）。③**是正の指示**　地方公共団体の法定受託事務の処理が法令違反又は著しい不適正かつ明らかな公益侵害と認めるときは、違反の是正・改善のため講ずべき措置に関し必要な指示をすることができる（245条の7）。

(3)**代執行**　地方公共団体の法定受託事務の処理が法令に違反している場合又はその地方公共団体がその処理を怠っている場合、是正のための措置をその地方公共団体に代わって行うことができる。地方公共団体に対する勧告、指示、高裁での裁判という手続を経て行われる（245条の8）。

■関連法条／地方自治法245条〜245条の9

●キーワード／関与の法定主義　助言・勧告　資料の提出の要求　是正の
　要求　同意　許可・認可・承認　指示　代執行　協議　処理基準

【問題】国の関与に関する次の記述のうち、妥当なものはどれか。

❶　地方公共団体の法定受託事務の処理が法令に違反する等の場合、各大
　臣又は都道府県は、期限を定めて是正の勧告を行った後直ちに、高等裁
　判所に当該事項を行うことを命ずる旨の裁判を請求することができる。

❷　各大臣又は都道府県の執行機関は、法定受託事務の処理についてのみ、
　処理基準を定めることができる。

❸　各大臣は、都道府県の自治事務の処理が法令の規定に違反していると
　認めるときに限り、当該都道府県に対し、その是正又は改善のため必要
　な措置を講ずべきことを求めることができる。

❹　各大臣は、都道府県の法定受託事務の処理が法令の規定に違反してい
　ると認めるときは、その是正又は改善のため必要な措置を講ずべきこと
　を求めることはできるが、指示までは行うことができない。

❺　国や都道府県による地方公共団体に対する補助金等の支出金の交付も
　「国又は都道府県の関与」に含まれ、地方自治法の関与の規定が適用さ
　れる。

解説

❶　誤り。勧告に従わないときは、さらに期限を定めた指示を行い、当該
　期限までに当該事項を行わないときには、高等裁判所に裁判を請求する
　ことができるとされている（245条の8第3項）。

❷　正しい（245条の9第1〜3項）。

❸　誤り。是正の要求は、著しく適正を欠き、かつ、明らかに公益を害し
　ていると認めるときも行うことができる（245条の5第1項）。

❹　誤り。このような場合、必要な指示をすることが認められている（245
　条の7第1項）。

❺　誤り。国や都道府県による支出金の交付は「関与」から除外されてい
　る（245条）。　　　　　　　　　　　　　　　　　　【正解　❷】

国の関与の手続

　行政運営における公正の確保や透明性の向上を図る観点から、地方自治法上、地方公共団体に対する国や都道府県の関与についても、その種類ごとに事前の手続が定められ、法律による行政の一層の深化が図られている。

1　書面主義の原則

　国又は都道府県は、助言、勧告その他これらに類する行為、資料の提出の要求その他これに類する行為を書面によらないで行った場合、当該地方公共団体からその趣旨及び内容を記載した書面の交付を求められたときは、これを交付しなければならない（247条1項、248条）。

　国又は都道府県は、是正の要求、指示その他これらに類する行為をするときは、同時にその内容及び理由を記載した書面を交付しなければならない（249条1項）。

　国又は都道府県は、申請等に係る許認可等を拒否する処分をするとき又は許認可等の取消し等をするときは、その内容及び理由を記載した書面を交付しなければならない（250条の4）。

2　許認可等の基準の設定・公表

　国又は都道府県は、地方公共団体から申請や協議の申出があった場合に許可、認可、承認、同意その他これらに類する行為をするかどうかを判断するために必要とされる基準を定め、行政上特別の支障のあるときを除き、これを公表しなければならない。許可、認可、承認、同意その他これらに類する行為の取消しその他これに類する行為についても必要な基準を定め、これを公表するよう努めなければならない（250条の2第1・2項）。

3　標準処理期間の設定・公表

　地方公共団体からの申請又は協議の申出が到達してから申請等に係る許認可等をするまでに通常要すべき標準的な期間を定め、これを公表するよう努めなければならない（250条の3）。

4　その他

　地方公共団体から国又は都道府県に対し協議の申出があったときは、国又は都道府県と地方公共団体は、誠実に協議を行うとともに、相当の期間内に協議が調うよう努めなければならない（250条1項）。このほか、届出の到達主義（250条の5）等についても地方自治法に定められている。

■関連法条／地方自治法246条～250条の6

◉キーワード／書面主義の原則　許認可等の基準　標準処理期間　協議の
方式　届出の到達主義　透明性

【問題】 国又は都道府県の関与の手続に関する次の記述のうち、妥当で
ないものはどれか。

---

❶　国又は都道府県は、地方公共団体からの申請等に係る許認可等に関し
拒否又は許認可等の取消しをするときは、その内容などを記載した書面
を交付しなければならない。

❷　国又は都道府県は、地方公共団体から申請や協議の申出があった場合
に許認可等をするかどうかを判断するために必要とされる基準を定め、
行政上特別の支障があるときを除いて、これを公表しなければならない。

❸　国又は都道府県は、地方公共団体からの申請等が到達してからその申
請等に対する許認可等をするまでに通常要すべき標準的な期間を定め、
これを公表しなければならない。

❹　地方公共団体から国の行政機関又は都道府県の機関への届出がその提
出先とされている事務所に到達したときに、原則として届出をすべき手
続上の義務が履行されたことになる。

❺　国又は都道府県が助言、勧告等によって地方公共団体に関与する場合
は、地方公共団体から書面によることを求められた場合には、その趣旨
及び内容を記載した書面を交付しなければならない。

解説

❶　正しい。なお、その際にはその内容及び理由を記載した書面を交付し
なければならないとされている（250条の4）。

❷　正しい（250条の2第1項）。

❸　誤り。標準処理期間の設定・公表は、努力義務とされている（250条
の3第1項）。

❹　正しい（250条の5）。ただし、届出書の記載事項に不備がないなど法
令に定められた届出の形式上の要件に適合していることが必要。

❺　正しい（247条1項、248条）。　　　　　　　　　　　　【正解　❸】

国と地方公共団体の間の係争処理

1 国地方係争処理委員会

　地方公共団体に対する国の関与に関する争いを処理するため、総務省に国地方係争処理委員会が設けられている（250条の7第1項）。

　国地方係争処理委員会に対する審査の申出は、①国の関与のうち是正の要求、許可の拒否その他の処分その他公権力の行使に当たるもの、②不作為（申請等が行われた場合で、国の行政庁が相当の期間内に許可その他公権力の行使に当たるものをすべきにもかかわらず、これを行わないこと）、③協議（協議に係る地方公共団体の義務を果たしたと認めるにもかかわらずその協議が調わないとき）について不服がある場合に認められ、文書で行うこととされている（250条の13第1〜3項）。審査の申出は国の関与があった日から30日以内とされている（250条の13第4項）。

　国地方係争処理委員会は、審査の申出を受けたときは、その申出があった日から90日以内に審査を行い勧告等をしなければならないものとされており（250条の14第5項）、そのために国地方係争処理委員会には申出又は職権による証拠調べの権限が認められている（250条の16）。

　上記のうち自治事務に関する関与については、その関与が違法又は地方公共団体の自主性及び自立性を尊重する観点から不当と認める場合、法定受託事務に関する関与については、その関与が違法と認める場合には勧告を行うこととされている。違法（自治事務の場合は違法又は不当）でないと認めるときは、理由を付してその旨を審査申出人及び国の行政庁に対し、通知し、公表する（250条の14）。国地方係争処理委員会から勧告を受けた国の行政庁は、その勧告に示された期間内にその勧告に即して必要な措置を講ずるとともに、その旨を国地方係争処理委員会に通知しなければならない（250条の18第1項）。

2 国の関与に関する訴え

　勧告に不服があるときは、地方公共団体は、高等裁判所に対し、国の関与の取消訴訟又は不作為の違法確認訴訟を提起できる（251条の5）。

3 地方公共団体の不作為に関する国の訴え

　国が是正の要求等をした場合に、地方公共団体がこれに応じた措置を講じず、かつ、国地方係争処理委員会への審査の申出もしないとき等に、国は、高等裁判所に対し、違法確認訴訟を提起できる（251条の7）。

■関連法条／地方自治法250条の7～250条の20、251条の5、251条の7
●キーワード／国地方係争処理委員会　関与に関する訴え　違法確認訴訟

> 【問題】国と地方公共団体の間の係争処理に関する次の記述のうち、妥当なものはどれか。

❶　国地方係争処理委員会は内閣府に設置され、地方公共団体に対する国の関与に関する争いを処理することとされており、その委員は両議院の同意を得て内閣総理大臣が任命する。

❷　地方公共団体は、その担任する事務に関する法令に基づく国との協議については、それが調わないことにつき不服がある場合でも、国地方係争処理委員会に対して審査を申し出ることはできない。

❸　国地方係争処理委員会は、法定受託事務について国の地方公共団体に対する関与が違法と認める場合のみならず、地方公共団体の自主性及び自立性を尊重する観点から不当と認める場合についても、国の行政庁に対して勧告を行うことができる。

❹　国地方係争処理委員会に審査の申出をすることができるのは、当該係争の当事者である国の行政庁と地方公共団体の双方である。

❺　国地方係争処理委員会の勧告に不服があるときは、地方公共団体の執行機関は、高等裁判所に対し、国の行政庁を被告として、国の関与の取消訴訟又は国の不作為の違法確認訴訟を提起できる。

解説

❶　誤り。内閣府ではなく総務省、内閣総理大臣ではなく総務大臣である（250条の7～250条の9）。

❷　誤り。協議に係る地方公共団体の義務を果たしたと認めるにもかかわらず協議が調わないときは、審査の申出をすることができる（250条の13第3項）。

❸　誤り。法定受託事務に関する関与について勧告が行われるのは、違法と認める場合に限られる（250条の14第2項）。

❹　誤り。国からの審査の申出は認められていない。

❺　正しい（251条の5第1・3項）。　　　　　　　【正解　❺】

地方公共団体相互間の係争処理

地方公共団体相互の係争処理に関しては、国と地方公共団体の係争処理制度に準じて、自治紛争処理委員制度が設けられている（251条）。

1　自治紛争処理委員

自治紛争処理委員は、3人とされ、事件ごとに優れた識見を有する者のうちから総務大臣又は都道府県知事が任命し、紛争の調停、都道府県の関与に関する審査、審査請求等の審理の手続が終了すると失職するものとされている（251条1～3項）。

2　自治紛争処理制度

自治紛争処理委員による紛争処理手続としては、調停と審査・勧告の2種類がある（251条の2、251条の3）。

(1)**調停**　地方公共団体相互間又は地方公共団体の機関相互間に紛争があるときは、総務大臣又は都道府県知事は、当事者の申請に基づき、又は職権により、紛争解決のため自治紛争処理委員の調停に付すことができる（251条の2第1項）。

(2)**審査及び勧告**　審査・勧告の対象となるのは、①市町村に対する都道府県の関与のうち是正の要求、許可の拒否その他の処分その他公権力の行使に当たるもの、②不作為（都道府県の行政庁が相当の期間内に許可その他の処分その他公権力の行使に当たるものをすべきにもかかわらず、これをしないこと）、③協議（協議に係る市町村が義務を果たしたと認めるにもかかわらずその協議が調わないこと）の3種類である。市町村は、総務大臣に対し都道府県を相手方として文書で審査の申出をすることができる。この場合、総務大臣は、速やかに自治紛争処理委員を任命し、事件をその審査に付さなければならない（251条の3）。

3　都道府県の関与に関する訴え

自治紛争処理委員の審査の結果・勧告、行政庁の措置に不服があるときなどには、地方公共団体の執行機関は、高等裁判所に対し、都道府県の関与の取消訴訟又は不作為の違法確認訴訟を提起できる（251条の6）。

4　市町村の不作為に関する都道府県の訴え

市町村の事務の処理につき是正の要求等をした場合に、市町村がこれに応じた措置を講じず、かつ、自治紛争処理委員への申出もしないとき等に、国の指示により都道府県の執行機関が違法確認訴訟を提起する（252条）。

■関連法条／地方自治法251条〜251条の4、251条の6、252条
●キーワード／自治紛争処理委員　調停　関与に関する訴え　違法確認訴訟

> 【問題】地方公共団体相互間の係争処理に関する次の記述のうち、妥当なものはどれか。

❶　自治紛争処理委員は、優れた識見を有する者のうちから総務大臣が任命する常勤の附属機関である。

❷　地方公共団体相互間に紛争があるときは、当事者たる地方公共団体の長が自治紛争処理委員に申し出て、調停に付すことができる。

❸　当事者の申請に基づき開始された調停においては、当事者の合意のみでその申請を取り下げることができる。

❹　自治紛争処理委員は、地方公共団体相互間の紛争の調停と地方公共団体に対する都道府県の関与について審査を行うものであり、それ以外の権限をもたない。

❺　自治紛争処理委員の勧告に不服があるときは、地方公共団体は訴訟を提起することにより紛争を解決することもできるが、調停については出訴が認められていない。

解説

❶　誤り。事件ごとに設置される非常勤かつ臨時の附属機関である。また、任命するのは総務大臣又は都道府県知事である。

❷　誤り。総務大臣又は都道府県知事が、当事者の申請に基づき、又は職権により、自治紛争処理委員の調停に付すことができる（251条の2第1項）。

❸　誤り。総務大臣又は都道府県知事の同意を得なければならない（251条の2第2項）。

❹　誤り。自治紛争処理委員は、地方公共団体相互間又は地方公共団体の機関相互間の紛争の調停及び都道府県の関与に関する審査のほか、地方自治法の規定による審査請求、再審査請求、審査の申立て又は審決の申請に係る審理も処理する（251条第1項）。

❺　正しい（251条の6）。　　　　　　　　　　　　　【正解　❺】

地方公共団体相互の協力方式

地方公共団体の事務の広範化・複雑化と協力・共同処理の必要性から、次の地方公共団体相互の協力の方式が設けられている。

1　連携協約（252条の2）

地方公共団体が、他の地方公共団体と連携して事務を処理するに当たっての基本的な方針及び役割分担を連携協約として定めるものであり、協議により連携協約を締結した地方公共団体は、それに基づいて分担すべき役割を果たすため必要な措置を執る。

2　協議会（252条の2の2～252条の6）

事務の共同処理の合理化・能率化を図るためのものであり、①事務の一部を共同して管理執行する協議会（管理執行協議会）、②事務の管理執行について連絡調整を図る協議会（連絡調整協議会）、③広域にわたる総合的な計画を共同して作成する協議会（計画作成協議会）の3種類がある。協議会は法人格を有せず、①の協議会が参加地方公共団体・執行機関の名で行った事務の管理執行は、それらが行ったものとしての効果を有する。

3　機関等の共同設置（252条の7～252条の13）

地方公共団体が協議により規約を定め、議会事務局、行政機関、長の内部組織、委員会・委員やその事務局、附属機関、職員又は専門委員を共同設置するもの。共同設置された機関は、それぞれの地方公共団体の機関とみなされ、その行為の効果はそれぞれの地方公共団体に帰属する。

4　事務の委託（252条の14～252条の16）

地方公共団体が協議により規約を定め、その事務の一部を他の地方公共団体に委託して、その地方公共団体の長又は同種の委員会・委員に管理執行させることをいう。委託をした地方公共団体の執行機関は委託した事務を処理する権限を失い、委託を受けた地方公共団体の機関が自己固有の事務と同様に管理執行する。

5　事務の代替執行（252条の16の2～252条の16の4）

地方公共団体の事務の一部の管理執行を、当該地方公共団体の名において、他の地方公共団体に行わせる制度である。求めに応じて協議により規約を定めて、他の地方公共団体の事務が代替執行されるが、事務を任せた地方公共団体が自ら当該事務を管理執行した場合と同様の効果を生ずることとなる一方、当該事務を管理執行する権限の移動を伴わない。

6　職員の派遣（252条の17）

地方公共団体の執行機関は、その団体の事務の処理のため必要があると認めるときは、他の地方公共団体の執行機関に対して、その地方公共団体の職員の派遣を求めることができる。

このほか、協力方式として、公の施設の区域外設置・共同使用（244条の3）、相互救済事業（263条の2）、地方公共団体の組合(284条)等がある。

■関連法条　地方自治法252条の２～252条の17、284～293の２等
◉キーワード／連携協約　協議会　機関等の共同設置　事務の委託　事務
の代替執行　職員の派遣　地方公共団体の組合

> 【問題】地方公共団体相互の協力方式に関する次の記述のうち、妥当な
> ものはどれか。

❶　連携協約は、都道府県と市町村の間でも行うことができるが、異なる
都道府県の区域に所在する市町村の間では締結することができない。

❷　地方公共団体は、共同して委員会・委員やその事務局を設置すること
ができるが、その場合、共同設置できる委員会・委員につき制限はない。

❸　他の地方公共団体の執行機関から職員の派遣を受けた場合、派遣され
た職員は派遣先の地方公共団体の職員となる。

❹　協議会が、その参加地方公共団体の名においてした事務の管理執行の
法的効果は、その地方公共団体に帰属する。

❺　地方公共団体は、協議により規約を定め、事務の移管として、その事
務の一部を他の地方公共団体に移管し、その地方公共団体の長に管理執
行させることができる。

解説

❶　誤り。連携協約の相手方となる地方公共団体には、特段の制限はない
（252条の２第１項）。

❷　誤り。公安委員会については、政令により共同設置できないものとさ
れている（252条の７第１項、自治令174条の19）。

❸　誤り。派遣元の職員と派遣先の職員の身分を併有し、給料、手当、旅
費は派遣先が、退職手当等は派遣元が負担する（252条の17第２項）。

❹　正しい。協議会の担任する事務につき関係地方公共団体又はその長そ
の他の執行機関の名において行った行為は、関係地方公共団体の長その
他の執行機関が行ったものとしての効力を有する（252条の５）。

❺　誤り。認められているのは、事務を任せた地方公共団体に処理権限が
残る「事務の代替執行」と、受託した地方公共団体に処理権限が移る
「事務の委託」である。　　　　　　　　　　　　　　【正解　❹】

条例による事務処理の特例制度

1　特例制度の概要

　都道府県は、市町村長との協議を経た上で、条例の定めるところにより、都道府県知事の権限に属する事務の一部を市町村が処理することとすることができるとされている（252条の17の2第1項）。条例による事務処理の特例の対象は、都道府県知事の権限に属する事務に限られており、それ以外では、地方教育行政の組織及び運営に関する法律において、都道府県教育委員会の権限に属する事務の一部を条例により市町村に配分することが認められている。

　事務処理の特例について定める条例を制定し又は改廃する場合には、都道府県知事は、あらかじめ関係市町村長に協議しなければならないこととされている（252条の17の2第2項）。他方、市町村長が、議会の議決を経て、都道府県知事に対し、その権限に属する事務の一部を処理することができるよう要請することも認められている（252条の17の2第3項）。

　条例により事務を市町村が処理することとした場合、その事務は市町村の事務となり、その市町村の長が管理執行することとされる（252条の17の2第1項）。市町村は、その事務について、法令に違反しない限りにおいて条例を制定することもできる。

2　特例の効果

　条例による事務処理の特例の効果は次のとおり（252条の17の3）。
①その事務について規定する法令、条例、規則のうち都道府県に関する規定は、その処理する事務の範囲内において、その市町村に関する規定としてその市町村に適用されること。
②①により市町村に適用される法令が規定する国の行政機関による助言等、資料の提出の要求等又は是正の要求等は、都道府県知事を通じて市町村に行うことができること。
③①により市町村に適用される法令により市町村が国の行政機関に対して行うこととなる協議は都道府県知事を通じて行うこと。
④①により市町村に適用される法令により市町村が国の行政機関に対して行うこととなる許認可等に係る申請等は都道府県知事を経由して行うこと。
　なお、地方自治法に基づく関与には、市町村に関する規定が適用される。

■関連法条／地方自治法252条の17の２〜252条の17の４
◉キーワード／条例による事務処理の特例制度　都道府県と市町村　権限移譲　分権

> 【問題】条例による事務処理の特例制度に関する次の記述のうち、妥当でないものはどれか。

❶　条例による事務処理の特例により市町村が処理することとされた事務に対する地方自治法245条の５に基づく是正の要求については、都道府県の執行機関が是正の要求を行う際に本来必要とされる各大臣の指示は不要である。

❷　市町村が処理することとされた事務のうち法定受託事務に係る処分に関する審査請求については、不服のある者は各大臣に再審査請求をすることが法律上認められている。

❸　事務処理の特例について定める条例の制定又は改廃については、都道府県知事はあらかじめ関係の市町村長に協議し、同意を得なければならない。

❹　条例により都道府県知事の権限に属する事務の一部を市町村が処理することとした場合、その都道府県は、その市町村の区域においてその事務を処理する権限を失うものとされている。

❺　都道府県は、条例による事務処理の特例により市町村が処理することとされた事務については必要な財源措置を講じなければならない。

解説

❶　正しい（252条の17の４第１項）。

❷　正しい（252条の17の４第４項）。

❸　誤り。事務を処理することとなる市町村長と誠実に協議する必要はあるが、同意までは要さないとされている（252条の17の２第２項）。

❹　正しい。この場合においては、市町村が処理することとされた事務は、その市町村長が管理執行することとなる（252条の17の２第１項）。

❺　正しい（地方財政法28条１項）。都道府県がその事務を市町村が行うこととする場合の経費の財源について、都道府県は、必要な措置を講じなければならない。　　　　　　　　　　　　　　　　　　　　　　【正解】❸

判例 〈係争処理委員会等勧告〉チェック

（国と地方の係争処理について）
・横浜市勝馬投票券発売税事件：国地方係争処理委員会平成13年7月24日勧告
・泉佐野市ふるさと納税不指定事件：国地方係争処理委員会令和元年9月3日勧告
　同上：最高裁令和2年6月30日判決民集74巻4号800頁
（県による関与と自治紛争処理について）
・我孫子市農振地域整備計画事件：自治紛争処理委員平成22年5月18日勧告
（大臣の是正指示に対する県の不作為の違法確認について）
・沖縄県辺野古訴訟：最高裁平成28年12月20日判決民集70巻9号2281頁
（大臣の是正指示の取消しについて）
・辺野古サンゴ訴訟：最高裁令和3年7月6日裁時1771号5頁
（行政不服審査法に基づく審査請求に対する裁決について）
・沖縄県辺野古訴訟（裁決）：最高裁令和2年3月26日判決民集74巻3号471頁

［編者］　自治体公法研究会

──要点演習シリーズ〈地方自治法〉の変遷──
1988年 1 月　『要点演習　地方自治法・地方公務員法』初版発行
1998年 5 月　『新要点演習　地方自治法』初版発行（第 3 次改訂版まで）
2004年 9 月　『要点演習 1 　地方自治法』初版発行（第 4 次改訂版まで）
2015年10月　『新要点演習　地方自治法』初版発行（現在第 2 次改訂版）

新要点演習　地方自治法　第 2 次改訂版　　　　　　　ⓒ2022年

2015年（平成27年）10月15日　初版第 1 刷発行
2020年（令和 2 年）　5 月30日　第 1 次改訂版第 1 刷発行
2022年（令和 4 年）　3 月 1 日　第 2 次改訂版第 1 刷発行

定価はカバーに表示してあります
編　　者　　自治体公法研究会
発 行 者　　大　田　昭　一
発 行 所　　公　職　研

〒101-0051
東京都千代田区神田神保町 2 丁目20番地
T E L　03-3230-3701（代表）
　　　　03-3230-3703（編集）
F A X　03-3230-1170
ISBN978-4-87526-416-3 C3031　https://www.koshokuken.co.jp/　　振替東京　6-154568

落丁・乱丁はお取り替え致します。　Printed in Japan　　印刷　日本ハイコム㈱
ISO14001 取得工場で印刷しました

ご活用ください！
公職研はお役立ち情報を発信しています！

◎公職研ウェブサイト
https://www.koshokuken.co.jp/

□公職研発信のすべての情報が見られます。
□各出版物の基本情報や目次がわかります。
□ウェブサイトから書籍のご注文を承ります。
□書籍の正誤情報を掲載しています。

◎公職研Facebook
https://www.facebook.com/koshokuken/

◎公職研Twitter
https://twitter.com/koshokuken

アカウントをお持ちの方は、ぜひフォローしてください！
より早く、見逃さずに情報をGet！

□フォローすればプッシュ型で情報が手に入ります。
□新刊情報、予約開始発信をいち早く知ることができます。
□書籍・著者に関するイベントなどお役立ち情報を発信！
□自治体職員コミュニティにつながるきっかけにも！

公職研図書案内

今村　寛 著

「対話」で変える公務員の仕事
自治体職員の「対話力」が未来を拓く

人を引きつける「対話」の魅力とは何か、なぜ「対話」が自治体職員の仕事を変えるのか、何のために仕事を変える必要があるのか—。そんなギモンを「自分事」として受け止め、「対話」をはじめたくなる一冊。　　　　　定価◎本体1,800円+税

澤　章 著

自治体係長のきほん 係長スイッチ
押せば仕事がうまくいく！ 一歩先行く係長の仕事の秘けつ

「若手職員に覇気がない」「定時に帰れない」「女性係長としての心構えは？」…
自治体の係長が直面する様々な課題や悩みを取り上げ、それを乗り越えるための
コツ＝「係長スイッチ」を伝授する一冊。　　　　　定価◎本体1,350円+税

助川達也 著

公務員のための場づくりのすすめ
"4つの場"で地域・仕事・あなたが輝く

現役公務員が、自らの体験をもとに、「場づくり」を楽しむコツや運営のポイントを伝授！　地域での「場づくり」はもちろん、仕事や自学にもその知恵が活きます。5名の実践者のインタビューも収載！　　　　　定価◎本体1,750円+税

堤　直規 著

教える自分もグンと伸びる！ 公務員の新人・若手育成の心得

現職課長で、キャリアコンサルタント（国家資格）でもある著者が、忙しい毎日
の中で新人・若手育成を進めるための実践的なポイントをずばり解説。入庁から
の1年間、新人OJTの月別メニュー付き！　　　　　定価◎本体1,700円+税

佐藤　徹 編著

エビデンスに基づく自治体政策入門
ロジックモデルの作り方・活かし方

エビデンスによる政策立案（EBPM）・評価とは何かという【基礎】から、実際
にロジックモデルを作成して、政策・施策に活用する【応用】まで。ロジックモ
デルを"学べる×使える"ワークシートのダウンロード特典付き。
定価◎本体2,100円+税